《切韻》聲母韻母及其音值研究

陳 志 清 著

文 史 哲 學 集 成

文史哲出版社印行

國家圖書館出版品預行編目資料

《切韻》聲母韻母及其音值研究 / 陳志清著. --
初版 --臺北市：文史哲, 民 103.2 印刷
8，303 頁;21 公分（文史哲學集成；364）
參考書目：293-303 頁
ISBN 978-957-549-018-5 (平裝)

1.（唐）韻書－音韻－考證

802.415

文史哲學集成 364

《切韻》聲母韻母及其音值研究

著　　者：陳　　志　　清
出 版 者：文　史　哲　出　版　社
http:// www.lapen.com.tw
e-mail：lapen@ms74.hinet.net
登記證字號：行政院新聞局版臺業字五三三七號
發 行 人：彭　　正　　雄
發 行 所：文　史　哲　出　版　社
印 刷 者：文　史　哲　出　版　社
臺北市羅斯福路一段七十二巷四號
郵政劃撥：16180175 傳真 886-2-23965656
電話 886-2-2351-1028，886-2-2394-1774

實價新臺幣四二〇元

中華民國八十五年（1996）七月初版
中華民國一〇三年（2014）二月 BOD 再刷

ISBN 978-957-549-018-5　00364

題詞

審閱陳君志清新著貫通

聲韻學之精微思深能入

筆銳能出綱舉目張條理

密察對於學人作出一大

貢獻也

夏曆丙子三月十二日 嶺東王韶生敬題

《切韻聲母韻母及其音值之研究》序

自顧氏炎武揭櫫「讀九經必自考文始，考文自知音始」之言以來，影響所及，有清三百年來，治聲韻學者輩出，而蘄春黃季剛（侃）先生集其大成。古音學本爲經學之附庸，然以其得科學之條理，故成就最大，乃由附庸而蔚爲大邦，然皆求聲類韻類之分合，而未能考音值之是非。及瑞典高本漢以其深湛之語音知識，詳考中國各地之方言，然後研究《切韻》之音讀，而《切韻》《廣韻》之音讀，始有條理可尋，聲值韻值之推求，始粗具規模。後起諸家，縱然有所增訂，尙少逾越其範圍。余之初識聲韻學也，弱冠之年，負笈臺灣師範大學，適先師瑞安林景伊（尹）先生亦來宣鐸，主講國文，先師幼從蘄春黃君學，聲韻之學，夙有根基。余從受業，因語讀書必先識字，識字必先明音之理，余聞而好之，亟請從學，先生見其志篤意誠，乃欣然贈以《廣韻》一冊，並題識相勉云：「中華民國四十六年，歲次丁酉三月廿五日即夏正二月二十四日，持贈新雄，願新雄其善讀之。」余謹受教，退而循師所示，披尋《廣韻》，逐韻逐字，析其聲韻，勒其部居，初明義例，興趣盎然，習之漸久，艱難時見，志稍怠惰。師每察其情，必諄諄告誡，再三激勵，並爲剖析疑滯，必令盡釋而後已。因能終始其事，未曾中道而廢，及今思之，設非先師之苦心孤詣，誨之不倦，余又曷克臻此者乎！如是半載，於《廣韻》一書，乃粗識腮理。尋從紹興許詩英（世瑛）先生習聲韻學，因於《廣韻》已略具心得，昔人以爲如讀天書者，而余竟游刃有餘。由於詩英師之啓導，乃由董同龢氏《中國語音史》進窺瑞典漢學家高氏之《中國音韻學研究》及其他諸著，而亦津津然，樂此不疲。及入研究所，復從景伊師習《廣韻》研究、古音研究；詩英師語音學。昔之疑而未明曉者，乃得盡析；散而未聯貫者，亦得溝通。等校蘄春黃君與瑞典高氏之學，雖方法略異，而理實相通。因以二者爲基礎，繼續鑽研，撰成《古音學發微》一文，並蒙教育部博士考試委員會口試通過，授予國家文學博士學位。其後遂以聲韻學授業上庠，從余學者，在臺灣聲韻學界，亦逾泰半。

民國七十一年余應香港浸會學院中文系之聘爲高等講師，因得識珠海大學梁永燊校長、文學院長王韶生教授、文史研究所長涂公遂教授，翌年八月該院文史研究所博士研究生何文華、李伯鳴教授指導下，以《粵語詞彙探索》一文提出博士論文考試，余受聘爲考試委員，遂與伯鳴先生相識。今伯鳴先生指導之陳志清君碩士論文《切韻聲母韻母及其音值研究》一文，尋將梓版，而問序於余。余雖不識陳君，然陳君嘗從何文華君受業，而何君又從余問學，伯鳴先生學界前輩，且爲舊識，淵源固有自也。余讀陳君之書，重有感焉。方余初得博士，即擬撰寫一聲韻學教科書，初則懼余書將取代先師《中國聲韻學通論》，故遲遲未敢著手，迨先師棄世，而又十有餘年，余書仍未撰著者，則以重紐問題，仍未得一合理之解說也。今觀陳君之書，雖以高本漢之說爲基準，而取李榮、王力、周法高、邵榮芬諸家之說相補苴，間亦採及余說。於《切韻》諸問題皆一一述及，如聲母中之別出俟母，匣與喻三合一，韻母中之一二等重韻，純四等韻之眞相，重紐之諸說，及作者之取舍，《切韻》之聲調等，皆能提衡諸說，取其所宜，從其所是，以爲己論，雖所說各節，容有可參，然先立其基礎，而假以時日，若有新見，再加修改可也。至其〈《切韻》聲韻及四聲音節總表〉一節，乃其結論之總表現。使讀其書者，於《切韻》音節之查索，甚有助焉。抑又有言，今人立說，每求揚余，因述余之所學，及對君書之觀感者，以就正焉。

中華民國八十五年七月二十九日陳新雄伯元甫序於
臺北市和平東路鍥不舍齋

自　序

本書是根據十年前我的碩士論文改寫而成。其實我在唸本科時，已留心於聲韻之學，尤其重視《切韻》，因爲它是上溯古音源頭，下探方音流變的橋梁。《切韻》學是音韻學研究的基礎，又是主要的內容，我當時很想把它弄懂，所以凡關於《廣韻》、《切韻》的論文和書籍，我都盡量買來一讀。有些不容易於書坊找到的文獻，若知其所藏之處，便托人借出影印。那時中文大學圖書館是我常到的地方，去則便是一整天，每次都能滿載而歸。日積月累，資料漸富。師輩常言：『做學問一講用功，二講機緣』。我本性魯鈍，未敢懈怠。荀子有云：『不積跬步，無以致千里』，我的步伐雖然緩慢，但深信仍可致遠，至於能否達千里之遙，則視乎機緣命數，因資料的搜求，即使上窮碧落下黃泉，也可能是兩處茫茫皆不見。但每當覓得珍貴難求的資料時，就會欣然忘食，雀躍不已。那時我已有整理《切韻》音書的念頭。

到我唸碩士，從李伯鳴教授學習聲韻學時，我開始有自己的想法。我覺得聲韻學不應附庸於經學，它有自己的研究範圍，獨立的天地，它應是語言學的一個分支。所以我研究《切韻》，不僅要整理它的反切用字，聲類韻部，還要爲它構擬一個語音系統。爲《切韻》聲韻測擬音值，自高本漢以來，不乏其人，而且成績斐然。我就在他們的基礎上做工夫，總結了各家的研究成果，也在某些問題上提出了自己的看法。論文寫畢通過後，同窗好友再三催我把它出版，以饗同好。但我一直無暇董理其事，怎知這樣一躭擱就是十年。

八六年我負笈廣州暨南大學，攻讀方言學，饒師秉才教授介紹我認識北京大學唐作藩教授，我曾以拙作寫信向唐教授請教，唐教授不吝賜教，給了我很多寶貴意見，比如我原先認爲“冬”[u o ŋ]”和“模”[u o]中的u是主元音，而“魂”[u o n]中的u爲介音，唐教授指出這樣一符二用，有欠說服力。他還認眞地找出書中一些矛盾的地方，現在我在這些問題上作了改動，盡量使系統完善。唐教授又謬賞拙作爲“碩士學位論文中，屬於高水平”之作，實在愧不敢當。他總述我論文的一些優點，這卻給了我很大的鼓舞：

> 對《切韻》音系的研究，前人已做了很多工作，要有所突破，有所前進，是很不容易的。先生認眞地總結了各家的研究成果，並提出自己的看法，其中不少問題論述得比較深刻，例如在駁斥高本漢的三等顎化觀點、關於開合口分韻及唇音字開合口、純四等韻的構擬以及重紐等問題上。其他於取舍之間亦反映了先生的研究心得。下冊的總表也有自己的特點。在碩士學位論文中，大著屬於高水平的。

唐教授的溢美之詞，我看爲是對我的鼓勵。在十年後的今天，有關《切韻》的專著，已出版了好幾種，我還把舊著修訂刊出，一則不想辜負師友們的期望；再者它是我多年的心血結晶，是我學術路途上的一個里程碑。憑碑眺遠，知所趨近，就以此來自勉吧。

十年人事幾番新，我整理這部舊作時，李師伯鳴教授已騎鶴仙遊，離我而去。我來不及向他再請教益，讓他揮毫書序，至令本書付梓時，沒有載上他片言隻語，誠爲憾事。三年教誨，無以爲報，謹以此書，告慰靈前。

我又要感謝臺灣中山大學張仁青教授，若沒有他穿針引線，恐怕這本書也不會那麼快便面世。

最後我要感謝王韶生教授。我在求學時，他常常指導我寫詩，現在他已是九十多歲的老人，還樂於爲本書題詞。王教授文章爲人，寬厚敦樸，樂乎斯道，我能得其親炙，坐沐春風，至深感幸，誠願他松柏同春、克享遐齡。

一九九六年六月十一日於香江

《切韻》聲母韻母及其音值研究

目　　錄

第一章　緒　論

第一節　《切韻》之語音基礎

《切韻》五卷，完成於隋仁壽元年（公元六0一年）。是陸法言於開皇二十年除名後，屏居山野，交遊阻絕，把以前與劉臻、顏之推、盧思道、魏彥淵、李若、蕭該、辛德源、薛道衡等八人討論音韻所記下的筆記，參校諸家音韻，古今字書，整理編纂而成的[一]。

後世有些學者，以爲法言曾參考諸家音韻、古今字書，且據《序》中"論南北是非，古今通塞"之語，遽謂《切韻》兼包古今方國之音。方法是在韻部之從分不從合，約有四種方式："一，古同今變者，據今而分；二，今同古異者，據古而分；三，南同北異者，據北而分；四，北同南異者，據南而分"[二]。第一種情況最爲自然，古音雖同，今音已變，不得不從今讀而分韻。第二種情況有尚古之嫌疑，強把今無異讀的同音字分隸兩韻，以示其韻讀於上古有別。"如東、冬必分，支、脂必分，魚、虞必分，

[一]　見《切韻序》，羅常培《切韻序校釋》本，中山大學《語言歷史研究所周刊》3集25、26、27期合刊，頁6~25。

[二]　林尹《中國聲韻學通論》，頁95。

皆、佳必分，先、仙必分，覃、談必分，尤、幽必分是也”[三]。第三、四種方式即是：凡南方屬於同韻的字音，若北方讀作兩類，則據北方讀音而分爲兩韻。反之，亦是。

然而，《切韻》僅五卷，而能包舉古今南北方國之音於其中，實屬匪夷之想。即使退一步說《切韻》韻部之從分不從合，是兼顧各地方音之需要（某組字音甲地讀同，乙地則讀分兩類，《切韻》因乙地而分作兩韻。甲地的人以自然脣吻讀之，知其同音，便可合之；至於音同而分爲兩韻，以知他地讀音不同），也恐失之於臆測。蓋一字的音讀，全寄於反切，反切注音，非若注音符號（或音標）之固定。注音符號所代表之音值，北人讀之，南人讀之，均無二致。所以民初讀音統一會所編纂之《國音字典》，雖云參校各地方言，而能收統一讀音之效。反切則無統一讀音的功能。同一切語，甲乙兩地依自己的方音讀出，自然讀成不同的音。而且切語上下字的音讀，在甲乙兩方言中未必能有系統的對應關係。沒有系統的對應關係，則切語難以適應各地方音的需要。古音渺遠，不可得知，以今音爲例，試作說明：

字：	巾	陳	因	珍	更	勁
粵音：	[k ɐ n]	[t ɕ‘ ɐ n]	[j ɐ n]	[t ɕ ɐ n]	[k ɐ ŋ]	[k i ŋ]
京音：	[t ɕ in]	[t ʂ ‘ə n]	[i n]	[t ʂ ən]	[kəŋ]	[t ɕ iŋ]

若要爲“巾”字作反語，既要適合粵語讀音，又要符合北京音，煞費思量。以“更珍”爲切語，在粵語中，可拼出“巾”的讀音；

[三] 黃侃《與人論治小學書》，載於《論學雜著》，頁154。

但以北京音讀這個切語，則扞格不入。所以爲“巾”字做切語的人，需尋找這樣的一個反切：反切上字的聲母粵語讀[k]，北京話讀[t ɕ]；反切下字的韻母粵語讀[ɐ n]，而北京話讀[i n]。有這樣對應關係的字並不多，在上列的數字中，我們只找到“勁因”這個組合。粵語不是讀[ɐ n]韻的字在北京話中都讀[i n]；同樣，北京話讀[t ɕ]聲母的字在粵語中都不一定讀[k]。因此若切語遷就北京音，則粵語未必適用。即使找到一個粵語和北京話都能適用的切語，亦未必能適用於第三方言區，更遑論兼顧南北各地方言。

竊以爲《切韻．序》：“因論南北是非，古今通塞”，不必理解爲《切韻》包含古今方國之音。法言等只根據某一個標準以討論古今字書讀音，何者爲通，何者爲塞；也以之辯難各地韻書的反切，孰爲是，孰爲非而已。他們參校諸家音韻、古今字書，是要審訂切語，建立規範音讀的必然舉措。陸法言在《切韻．序》中說：“吳楚則時傷輕淺，燕趙則多涉重濁，秦隴則去聲爲入，梁益則平聲似去”。他批評吳楚、燕趙、秦隴、梁益各地方音的弊病，就是“論南北是非，古今通塞”。

王顯《切韻的命名和切韻的性質》一文說，《切韻》命名並非取上切下韻之義，切韻的意思是“典音”[四]。“典音”，就是正確、規範。若王顯說得對，陸法言等更需要一個標準音以作爲審音韻、定取捨的原則。

“正音”的消息，可從“多所決定”《切韻》音的學者顏之推的說話得之。《顏氏家訓．音辭篇》說：

[四] 見《中國語文》1962年12月號總121期，頁540~547。

古今言語，時俗不同。著述之人，楚夏各異。《蒼頡訓詁》稗為逋賣，反娃為於乖。《戰國策》音刎為免。《穆天子傳》音諫為間。《說文》音戛為棘，讀皿為猛。《字林》音看口甘反，音伸為辛；《韻集》以成仍宏登合成兩類，為奇益石分作四章；李登《聲類》以系音羿；劉昌宗《周官音》讀乖若承。此例甚廣，必須考校。

前世反語，又多不切：徐仙民《毛詩音》反驟為在（當仕之訛）遘，《左傳音》切椽為徒緣，不可依信，亦為眾矣。今之學士，語亦不正；古獨何人，必應隨其譌僻乎？《通俗文》曰："入室求曰搜"，反為兄侯。然則兄當音所榮反。今北俗通行此音，亦古語之不可用者。

璵璠，魯人寶玉，當音餘煩，江南皆音藩屏之藩。岐山當音為奇，江南皆呼神衹之衹；江陵陷沒，此音被於關中，不知二者何所承案。以吾淺學，未之前聞也[五]。

顏之推"正音"的觀點在這幾段話中，朗然可見。他認爲古今語言不同，南北方音各異，前代音書中訛僻而不合於現今的反語，不宜採用。而地方上出現的誤讀錯音，顏氏也大爲抨擊。今觀《切韻》，這些訛僻和不正確的切語，已一一改正過來。顏氏的意見，對於《切韻》的編訂，可謂舉足輕重。他這樣反對"崇古媚俗"，又怎會讓《切韻》按上古、方國之音而分韻呢？所以我們不應以爲《切韻》兼包古今方國之音，而事實上法言等人是爲了訂正當

[五] 顏之推《顏氏家訓》(王利器《集解》本).頁 487。

時的讀音而編纂《切韻》的。

至於陸法言等人依據哪一種語音標準來審定讀音？意見很多。周祖謨認這個標準不可能是某地方之方音，而應爲金陵（南京）、鄴下（洛陽）的雅言，參以當時通行的讀書音【六】。周法高將此標準音的範圍擴至長安，甚至是所有地方的讀書音。周氏說：

> 根據我們研究玄應音的結果，也得出和《切韻》差不多的音韻系統，可見六、七世紀中，不管金陵、洛陽、長安，士大夫階級的讀書音都有共同的標準【七】。

總之，《切韻》所依據的語音基礎大抵爲當時通行的文學語言的讀音，而這種讀書音可能是六朝以來在洛陽方音建立起來的。由於它是文化政治的凝聚力，所以各地方言區的讀書音紛紛向它靠攏，尤以金陵和長安爲甚。據現時的研究所得，代表長安音的玄應音和《切韻》音差別不大，而代表梁陳隋之際揚州音的《博雅音》基本上也與《切韻》音系契合【八】。可見南北“雅言”的語

【六】 周祖謨《切韻的性質和它的音系基礎》，載於周祖謨《問學集》上冊，頁 43$~473 。

【七】 見周法高《論切韻音》，載於周法高《中國音韻學論文集》，頁 22 。周氏最初主張《切韻》代表長安音。《玄應反切考》云：“《切韻音》中和玄應音相同的百份之九成份，是能代表長安方音的。換句話說，《切韻》音在代表長安音這一點上，也有十之八九的準確性。”(見《中國語言學論文集》，頁 170 。

【八】 黃笑山《切韻和中唐五代音位系統》，頁 19~21 。

音系統都有很大的共同點，周法高之說不無道理。

第二節　高本漢《切韻》音研究

《切韻》既然以七世紀的讀書音爲基礎音，那麼直接研究它的反切，歸納它的聲母韻母，擬定它們的音值，就可瞭解中國中古書面語的語音系統。以此爲基礎，可以上推漢語的語音淵源，下探方言的演變軌跡，所以研究中國古代語音者，無不以此書爲研究起點。

在西方語言學介紹到中國之前，中國研究古音的進展十分緩慢，讀書人視聲韻學爲一門秘學，“童稚從事而皓首不能窮其理”，並非誇張；但自瑞典高本漢把西方歷史比較語音學引進到中土來後，國人眼界大開，研究進步一日千里。在高氏之後的幾十年間，“中外學人的收穫，足足抵得上，甚或超過清代三百年間許多大師的成績”[九]。可見自此以後中國聲韻學之研究已進入一個新時代，而高本漢乃這新時代的開創者。

高本漢獨運匠心，發凡起例，著成《中國音韻學研究》一書。此書以研究中國中古語音爲目的，影響深遠。高氏選取了《廣韻》的反切和《切韻指掌圖》等韻圖爲研究對象，運用了大量的中國方言材料和日本、韓國、越南譯音，以歷史比較語言學的方法進行研究（高氏以爲《廣韻》的反切即《切韻》反切，他心目中的中古音，就是《切韻》音）。研究的方法大體如下：

【九】　見董同龢《漢語音韻學》原序。

（1）利用韻圖，排列比較《廣韻》反切上下字，歸納出若干音類（聲類、韻類）。

（2）以這些音類爲出發點，而以外國譯音（計有日譯吳音、漢音、高麗譯音及安南譯音）及中國現代方音（計有三十三種，其中二十四種爲高氏所審核過的。）互相比較，擬測這些音類的音值。

（3）所擬定的音值，須符合這樣一個原則：要能合理解釋中國全部方言之現狀。即能說明這些方言種種的語音演變過程，而這些演變規則能夠在歷史語音學上站得住腳【十】。

當然，大凡一種學問，在其初創階段，自不能避免錯漏，後人循其研究之軌跡，亦應有所匡謬證補，不然學問必倒退不前。高氏的著作，雖有嚴密的系統，大量的發明，但仍不免於疵病，爲後人所指出，是無須諱言的。高氏此書的缺失，約有以下數點：

（一）高氏沒有看過《切韻》諸殘卷，而以爲《廣韻》二0六韻就是《切韻》韻部的數目【十一】。《廣韻》一等“寒”、“桓”分韻；“歌”、“戈”分韻；三等“眞”、“諄”分韻，都是開合口分韻的。高氏以爲開合分韻的合口爲強合口[u]，開合合韻的合口爲弱合口[w]。由於他所根據的是《廣韻》，所以得出一等合口爲強合口，二三四等爲弱合的結論【十二】。但觀《切韻》殘卷，《切韻》實際只有一九三韻，而且“寒”“桓”、“歌”“戈”、

【十】 見高本漢《中國音韻學研究》(趙元任、李方桂合譯本),頁 1~13。

【十一】 見《中國音韻學研究》譯者提綱及頁 19~20。

【十二】 同前書,頁 462~466。

“眞”“諄”皆合而不分，即只有“寒”而無“桓”；有“歌”而無“戈”；有“眞”而無“諄”。這三個韻在《切韻》中屬於開合合韻類，按高氏原則，它們的合口應是弱合口，這樣高氏一等強合口，二三四等弱合口的結論有修改之必要。

（二）高氏所根據的反切，又非原本《廣韻》的反切，而是《康熙字典》所引《廣韻》的反切。這些切語往往爲《康熙字典》所誤錄，根據錯誤的資料而作出錯誤的判斷，實在很難避免[十三]。又高氏所挑選作研究的常用字，只有三千一百左右，與《廣韻》全書所收之二萬一千五百字相較，亦相去甚遠。由於選字不足，有些語音現象遂被忽略，如重紐韻類，其重出之唇牙喉四等字，無論在《廣韻》，抑或在《切韻》諸殘卷中，均非少數，高氏卻因字少而視作例外，遂使《切韻》重紐兩類字併而不分，這也是高氏研究的一大缺點。

（三）高氏又沒有利用與《切韻》一脈相承的早期韻圖《韻鏡》和《七音略》，反而借重南宋末年及元代後期的韻圖《切韻指掌圖》和《經史正音切韻指南》。前兩種韻圖是專門爲分析《切韻》音讀而設；後兩種雖仍保存《切韻》系韻書的韻目，但反映的音韻系統已非原貌，而是宋末元初的語音狀況而已。高氏欲了解《切韻》韻類的性質，卻根據與《切韻》時代相隔約有半個世紀的後期韻圖，得出的結果，自然不會完全可靠。如《切韻指南》三等韻“虞”、“魚”已合併爲一韻，置於遇攝內三圖中（韻目仍虞、魚並舉），與一等“模”韻同圖。高氏據此把“魚”配“模”，

[十三] 同前書，譯者提綱

卻不知《韻鏡》及《七音略》皆以“模”、“虞”同轉，而“魚”獨立爲一圖。再者，高氏所根據的《切韻指南》又非原書，而是《康熙字典》所附錄的版本【十四】，無疑使出錯的可能性大增。

（四）高氏又不能完全泯除個人的主觀成見。比如高氏發現在反切上字中三等與一二四等分成兩組，而三等聲母在現代官話中變成了顎化[j]音，於是推測一二四等聲母爲純粹聲母，三等聲母爲[j]化聲母【十五】。高氏起初以爲三四等同用一套切語下字（似乎忽略了純四等韻），所以眞韻母相同，即除主元音相同外，二者都有[i]介音【十六】。三四等之區別在於聲母有沒有[j]化，有[j]化的是三等，沒[j]化（單純）的是四等。但是，既然三四等韻具有相同的語音條件（元音和介音[i]相同），爲什麼與它們相拼的同一聲母會產生分化：一種[j]化，一種則保持單純？又純四等韻與三四等合韻的性質殊異，不應忽視它們或簡單地把它們等同於三四等合韻。這種種問題，高氏後來都能察覺得到，並作了修訂：純四等韻（γ類）的元音較窄，[i]介音較強；三等韻（α類）元音較開，介音爲輔音性的[ɪ]。在[i]介

【十四】 同前書，頁25。譯者註云：“《康熙字典》卷首之《等韻切音指南》劉鑑之《經史正音切韻指南》雖同出一源，而內容頗有出入。高本漢據《切音指南》所擬測之結果往往與《切韻指南》原本不合。”

【十五】 同前書，頁27~57。

【十六】 同前註。

音前的聲母不［j］化；在［ɪ］前的聲母［j］化[十七]。這樣，所有三等韻的聲母都應該［j］化。但實際又不然，三等韻中有一類字，它們的反切上字與一二四等同組，而韻圖則置於四等格子內，即所謂“精”系紐字，若按反切上字的歸類，它們不應［j］化，但按三等韻［ɪ］介的性質，它們實應［j］化，高氏不得其解，只謂［ts］（“精”系）與［tʂ］（“莊”系）等從不［j］化（案：精系字在現代方言中亦有變顎化音的）。這樣的結論豈不令人懷疑嗎？

（五）高氏純四等韻也具有［i］介音之說，亦沒有根據。純四等韻既闢爲另一類（γ類）韻，與三四等合韻之四等性質不同，因此不能因三四等合韻之四等有［i］介音，而推論純四等韻亦有［i］介音。

以上五事皆爲高本漢中古音系統的嚴重缺失，我們既要繼承高氏的研究精神和方法，也要利用新發現的材料，溯本清源，重新爲《切韻》整理出一個較爲合理的語音系統。

第三節　本書所指《切韻》的含義

本書以《切韻》音爲研究對像。但《切韻》原書已佚，不能

[十七] 同前書，頁 473。譯者註云：“以下「」內的幾段是譯者參照著者 1922 年作的 Reconstruction of Ancient Chinese, T'oung Pao xxI pp.25~32 改譯的”。可知三、四等介音、元音不同的主張，乃後期修改的。

窺睹眞貌。幸虧近代在敦煌與吐魯番所出土的文物中，爲《切韻》一系的韻書殘卷，數量甚豐。把這些資料與故宮所發現兩種王仁昫《刊謬補缺切韻》（一爲缺本，稱項跋本；一爲全本，稱宋濂跋本），及蔣斧所藏的《唐韻》，互相參校，庶幾還原一個接近《切韻》原貌的本子。然而，敦煌、吐魯番所出土的殘卷，多爲外國人所奪取，國人難得一見，幸賴中國學者努力，四處訪求，影寫摹錄，輯而成冊，付梓刊行，我們才得披覽。迄今爲止，國人輯錄有關《切韻》殘卷的專書有四種：

（一）劉復《十韻彙編》（簡稱《彙編》）

（二）姜亮夫《瀛涯敦煌韻輯》（簡稱《韻輯》）

（三）潘重規《瀛涯敦煌韻輯新編》（簡稱《新編》）

（四）周祖謨《唐五代韻書集存》（簡稱《集存》）

茲列一表，以說明各書的收錄情況：

種類	編號	彙編	韻輯	新編	集存（編號）	備註
陸法言切韻傳寫本	P3798			✓	✓ 1.1	*巴黎 殘葉
	P3695 P3696			✓	✓ 1.2	巴黎 殘葉
	S6187				✓ 1.3	*倫敦 殘葉
	S2683	✓ 簡稱切一	✓	✓	✓ 1.4	倫敦 殘葉
	P4917		✓ 未列號之乙		✓ 1.4	巴黎 殘葉

法言傳寫本	西域文書* N08107	✓ 簡稱西	✓	✓	✓ 1.5	*日本 斷片
	TIVK75100a		✓ 武內義雄所本二	✓ 同前	✓ TID1.6	*柏林 斷片
	TIVK75100b	✓ 簡稱德	✓ JIVK75 武內義雄一	✓ 同前		柏林 斷片
箋註本切韻	S2071	✓ 簡稱切三	✓	✓	✓ 2.1	倫敦 殘卷
	S2055	✓ 簡稱切二	✓	✓	✓ 2.2	倫敦 殘卷
	P3693 P3694 P3696			✓	✓ 2.3	巴黎 殘葉
	S6176				✓ 2.3	倫敦 殘葉
增訓加字本切韻	S5980				✓ 3.1	倫敦 殘葉
	P3799			✓	✓ 3.2	巴黎 殘葉
	P2017		✓	✓	✓ 3.3	巴黎 殘葉
	S6013				✓ 3.4	倫敦 殘葉
	S6012				✓ 3.5	倫敦 殘葉
	P4746		✓ 未列號之甲	✓	✓ 3.6	巴黎 殘葉

增訓加字本	S6156		✓	✓	✓ 3.7	倫敦 片斷
	TIVK70+1 IVK75				✓ 3.8	柏林 片斷
王仁昫刊謬補缺切韻	P2129				✓4.1	巴黎 序文
	P2011	✓ 簡稱王一	✓	✓	✓4.2	巴黎 殘卷
	故宮王仁昫刊謬補缺切韻(項跋本)	✓ 簡稱王二				*故宮 殘卷
	王仁昫刊謬補缺切韻(宋濂跋本)				✓ 4.3	故宮 全本
裴務齊正字本刊謬補缺切韻					✓ 5.1	故宮 殘卷
唐韻寫本	孫愐唐韻序				✓ 6.1	*式古堂 序文
	P2081		✓	✓	✓ 6.2	巴黎 殘葉
	蔣斧本唐韻	✓			✓ 6.3	蔣斧 殘卷

五代本韻書	P4879 P2019				✓7.1	巴黎序文
	P2638				✓7.2	巴黎 序文
	P2014	✓ 簡稱刊	✓	✓	✓7.3	巴黎
	P2015	✓ 刊	✓	✓	✓7.3	巴黎
	P2106 P5531		✓	✓	✓7.3	巴黎
五代本韻書	P4747		✓ 未列號之丙	✓	✓7.3	巴黎
	P2016(背面)				✓7.4	巴黎 殘葉
	TIL1015		✓ v121015	✓ 同前	✓7.5	巴黎 殘葉
	TIIDI DCba		✓ 缺c	✓ 同前	✓7.6	巴黎 殘葉
說明	巴黎--巴黎國家圖書館藏 倫敦--倫敦大英博物館藏 故宮--北平故宮博物院藏 柏林--柏林普魯士學士院藏		日本--日本京都龍谷大學藏 式古堂--式古堂書畫彙考 西域文書--存于西域考古圖譜 蔣斧--蔣斧氏藏			

本書所指的《切韻》，是以故宮王仁昫《刊謬補缺切韻》(宋跋本)爲基礎，參校上列各種《切韻》卷子。較早本子所收的字，若形體、切語均無可疑處，就用較早的本子。韻目用王仁昫一百九十五韻本，較之《切韻》原本，多上聲“广”韻、去聲“嚴”韻。至於入聲歸配陰陽方面，悉依《韻鏡》及《七音略》。

第二章 《切韻》聲母的音値

第一節 《切韻》聲類的初期研究

《切韻》是一部以同韻繫字，字註反切的韻書。書中只有平上去入的韻目，而沒有喉牙齒舌唇的聲紐。最早考訂《切韻》聲類的是番禺陳澧[一]。他首創的“反切系聯法”[二]，不僅是研究《切韻》聲類、韻類的基礎，也是考訂古代其他音義書聲韻系統的不二法門[三]。系聯法有兩個條例：一，凡切語上字同用互用遞用者必同類。但“切語上字兩兩互用”[四]，便“有實同類而不能系聯者”[五]。陳澧爲了補救這個漏洞，於是創立了另一條例：“考《廣韻》一字兩音者互注切語，其同一音之兩切語上二字聲必同類，如一‘東’涷，德紅切，又都貢切，一‘送’涷，多貢切。都貢、多貢

[一] 陳澧，字蘭甫，淸廣東番禺人。道光舉人。博覽多通。著《切韻考》。

[二] 切語上字同用、互用、遞用者，系聯爲一類。聲韻學家稱之爲正例。實同而不能系聯者，據同一音之兩切語合之，聲韻學家稱爲變例。系聯法見陳澧《切韻考》。

[三] 如黃淬伯《慧琳一切經音義反切聲類考》，見中央研究院《歷史語言研究所集刊》第一本，頁1656~187。

[四] 陳澧《切韻考》卷一，頁7。

[五] 同前註。

同一音，都多二字實同一類也”[六]。根據這個補充條例，陳氏便把本來同一聲類而反切偶失系聯的切語上字連成一類，共得聲類四十個。茲把陳氏四十個聲類[七]隸於七音之下，附以守溫字母（外加括號者），重新排列如下：

牙音：	居（見）	康（溪）	渠（群）	疑（疑）	
舌音：	多（端）	他（透）	徒（定）	奴（泥）	
	知（知）	抽（徹）	除（澄）	尼（娘）	
脣音：	邊（幫）	滂（滂）	蒲（並）		
	方（非）	敷（敷）	房（奉）	明（明、微）	
齒音：	將（精）	倉（清）	才（從）	蘇（心）	徐（邪）
	之（照）	昌（穿）	床（床）	書（審）	時（禪）
	莊（照二）	初（穿二）	神（床二）	山（審二）[八]	
喉音：	於（影）	余（喻四）	于（喻三）	呼（曉）	胡（匣）
半舌：	來（來）				
半齒：	如（日）				

以上四十聲類，較之守溫三十六字母，齒音多“莊”、“初”、“神”、

[六] 同前註。

[七] 四十聲類中二十一爲清聲母；十九爲濁聲母。以所見之先後爲次第。見《切韻考》卷二，頁 14~23。

[八] 守溫字母有照組紐名而無莊組紐名。莊組併入照組，而置於韻圖二等地位，故稱照二。

"山"，喉音多"于"五母；而守溫字母唇音"明"、"微"分作二類，陳氏卻併而不分。陳氏所分出的齒喉五類聲紐，已爲一般學者所承認，但他合併"明""微"爲一類，則不爲人所接受。蘄春黃季剛據《廣韻》反切上字把"明"、"微"分爲二類[九]，於是《廣韻》聲類便有四十一個了。陳新雄認爲這四十一個聲類"從音位學之立場言，各種區別，均可兼顧，迄今爲止，仍爲諸說之中，最符合《廣韻》之內容與性質者"[十]。可見這四十一類足以反映《廣韻》聲母系統。然而，《切韻》較《廣韻》早出，語音又因時代而遞變，四十一類未必符合《切韻》實情，故須進一步考訂。

陳氏雖然提出了補充條例（變例），考"一字兩音者互注切語"，來解決"實同類而不能系聯"的問題。但他在運用正例、變例的時候，卻不能謹守客觀原則，因爲若全依正例，《廣韻》的聲母則不止四十個，若兼用變例，則又不足四十。而且陳氏沒有看過敦煌出土的唐寫本《切韻》殘卷，考據往往爲間接資料所誤（周祖謨《陳澧切韻考辨誤》[十一]一文言之甚備，這裏不再多贅），所以後來的學者對陳氏的考訂多不愜意，他們於方法上有些只採用正例，有些盡從變例，有些更尋求別的方法；但於資料的選用上，則多根據《切韻》系的唐寫本。考訂出來的聲類，或增或減，多所歧

[九] 見黃侃《論學雜著・音略》，上海古籍出版社，頁 62~69。

[十] 見陳新雄《廣韻聲類諸說述評》，載《鍥而不舍齋論學集》，學生書局印行，頁 205。

[十一] 周祖謨《問學集》下冊，中華書局，頁 517~580。

異，簡明如下：

（一）依正例者：

曾運乾據《廣韻》訂定聲紐五十一類【十二】。黃淬伯據《切韻》建立四十七類聲紐【十三】。

（二）依變例者：

張煊考得《廣韻》三十三類【十四】。羅常培探賾《切韻》而得二十八類【十五】。

（三）用統計法者：

白滌洲分析《廣韻》，計出聲類四十七個【十六】。陸志韋也統計過《廣韻》反切，卻得聲紐五十一類【十七】。

（四）以等系聯者：

高本漢用《康熙字典》所引錄《廣韻》的切語，考得聲類四

【十二】見曾運乾《切韻五韻五聲五十一紐考》，轉載於陳新雄、于大成主編《聲韻學論文集》第一冊，頁 107~116，木鐸出版社。

【十三】黃淬伯《討論切韻的韻部與聲紐》，載於中山大學《語言歷史研究所周刊》第六集 61 期，頁 1~12。

【十四】見張煊《求進步齋音論》，載《國故月刊》第一期，北大出版部。

【十五】見羅常培《切韻探賾》，國立中山大學《語言歷史周刊》三集 25、26、27 期合刊。

【十六】見白滌洲《廣韻聲紐韻類之統計》，女子師範大學《學術季刊》二卷一期(1931 年)，頁 1~28。

【十七】見陸志韋《證廣韻五十一聲類》，燕京學報 28 期，頁 1~57。

十七個[十八]。

（五）從音位學分析者：

李榮、王力、周法高、邵榮芬等均據《切韻》分析研究，得出的結果大致相同，只有一二差別。李榮考得聲紐有三十六類[十九]；王力也得數三十六[二十]，但紐類與李榮稍異。周法高與邵榮芬同得三十七聲類[二十一]，但紐略異。

上述諸家研究的方法、論證之得失，除邵榮芬外，均見於陳新雄《廣韻聲類諸說述評》[二十二]一文中。陳氏說：

> 周氏分類大致與王力相同，其"云"母自"匣"分出亦較王氏合理。以此系統而論《切韻》聲母，應無可疵議[二十三]。

[十八] 高氏選《康熙字典》所存之《廣韻》切語三千一百餘字，一套套歸納其上字類別，然後據《切韻指南》分作四等，發現三等反切上字與一二四等顯然有別，因而把聲母區分爲兩大類：一二四等者爲純粹聲母，三等者爲 j 化聲母。高氏這種參考韻圖之等第而定聲母類別的系聯法，可稱爲"以等系聯"。見高本漢《中國音韻學研究》第三章，頁 64~87。

[十九] 見李榮《切韻音系》，載於鼎文版《瀛涯敦煌韻輯》後。

[二十] 見王力《漢語音韻》，文昌書局印行本，頁 83~89。

[二十一] 見周法高《論切韻音》、《論上古音和切韻音》二文。載於《中國音韻學論文集》及邵榮芬《切韻研究》。

[二十二] 載於陳新雄《鍥而不舍齋論學集》，頁 197~241。

[二十三] 同前書，頁 242。

可見從音位學立論之李、王、周、邵四家，其說最近《切韻》。宜另立一節詳細討論。

第二節 李王周邵聲類考訂的異同

所謂音位，即某一語言中能起辨義作用之最少語音單位。如國語中辨別“拜”[pai]、“派”[p'ai]兩詞是靠[p]之有沒有送氣。[p]和[p']有辨義作用，所以在國語中屬兩個音位。但如果兩個相似的音，它們出現的環境成互補關係，即甲音不出現在乙音所出現的環境中，乙音也不在甲音出現的地方中出現，甲乙兩音便可合併爲一個音位，因爲它們不起辨義作用。如英語 spy[spai]（間諜）與 pie[p'ai]（餡餅），不送氣[p]和送氣[p']的出現成互補關係，[p']出現在詞的第一音素的位置上，而[p]出現在[s]後。辨別這兩詞的意義，並不是靠[p]之送不送氣，因爲[s]音已足以承擔這個責任。因此，[p]和[p']在英語中不起辨義作用，它們只屬同一個音位的兩個變體[二十四]。李榮等就是利用這種音位觀念來處理陳澧基本條例所不能系聯的聲紐。

李榮《切韻音系》一書，運用陳澧之同用、互用、遞用基本原則系聯全王本《刊謬補缺切韻》反切上字，遇有本同類而不能系聯時，則視被切字出現的機會爲互補抑或對立，再參照韻圖，最後才

[二十四] 見趙元任《語言問題》第三講“音位論”，商務本，頁 27~39。

決定其為同類抑或不同類。

李氏把"端"、"透"、"定"與"知"、"徹"、"澄"兩系聲紐分為二類，因"端"二等"觰"（都下反）字與"知"二等"縿"(竹下反）字對立；屬於"定"紐、"寅"類韻[二十五]的"地"（徒四反）字與"澄"紐同類韻的"緻"（直利反）字對立。

"幫"系與"非"系、"見一"與"見三"系、"喻三"與"匣"母、"泥"母與"娘"母、"精"系與"莊"系，都沒有對立小韻，但李氏只把前四者的兩類合為一類，而獨把"精"系與"莊"系紐仍分作二類，蓋因李氏除計較小韻之有沒有對立外，亦視各系紐字在韻圖之出現情況。比如李氏系聯"匣"母為一類，把它暫定為第一組，系聯"喻三"為三類，分別叫二三四組。它們在韻圖的出現情況是：二、三、四組"與子（案：即純三等韻）、丑（案：非重紐之三四等合韻類）、寅（案：重紐的韻類）三類韻配合的關係是參差的（就是說哪個韻用哪個上字沒有必然的關係，只有事實的關係），不衝突的"[二十六]；至於第一組紐字也有與寅類韻組合的。由於"匣"母和"喻三"的三組紐與相關韻類配合的關係是參差而非必然的，李氏因此把它們合併為一類。李氏更用了五節（第三章三十一至三十五節）篇幅製成了反切上字與韻類配合表，以說明反切上字的分佈情況。再舉"妮"紐兩組為例：

[二十五] 李榮寅類韻即有重紐之三四等合韻，包括"支"、"脂"、"祭"、"眞"、"臻"、"仙"、"宵"、"侵"、"鹽"及其上去入各韻。見《切韻音系》。

[二十六] 見李榮《切韻音系》，頁1。

一組：那諾何　諾奴各　內奴對　乃奴亥　妳奴解　午奴賢　奴乃胡

二組：儜女耕　娘女良　尼女脂　女尼与、娘據

第一組爲"泥"母字；第二組爲"娘"母字。第一組的字出現在一等韻、二等韻、丑寅韻和四等韻中；第二組的字也有出現在二等韻、丑寅韻中，它們與韻類的配合是參差而沒有必然性，所以李氏把它們歸併爲一個聲類。其餘"幫"與"非"；"見一"與"見三"的歸併情況也與此相仿。然而，"精"系與"莊"系的情況不同。"精"系紐字只出現在一等韻中，而"莊"系紐字只出現在二等韻中，井然不混，所以雖然它們沒有對立小韻，李氏仍把它們分作兩類。根據這個原則，李氏把《切韻》的聲母定爲三十六類，它們（附所擬的音值）是：

幫 p　　滂 p'　　並 b　　明 m

端 t　　透 t'　　定 d　　泥 n　　來 l

知 t̂　　徹 t̂'　　澄 d̂

精 ts　　淸 ts'　　從 dz　　心 s　　邪 z

莊 tṣ　　初 tṣ'　　崇 dẓ　　生 ṣ　　俟 ẓ

章 tś　　昌 tś'　　船 dź　　書 ś　　常 ź　　日 ń

見 k　　溪 k'　　群 g　　疑 ŋ　　曉 x　　匣 ɣ

影 ʔ　　喻 O

王力對《切韻》聲類的測訂，大抵依李榮說。只有一兩紐類的

分合，異於李榮而已。王氏又經常修改自己的主張，以致他自己的系統，本身也有前後期的差異。如《漢語史稿》定《切韻》聲類爲三十五個，只少李榮一個“俟”母；但他後來在《漢語音韻》中增加一個“娘”母，演成三十六紐，紐類總數與李榮所定的相同，但實少了“俟”母而多了“娘”母。他在後期的一篇名爲《漢語語音的系統性及其發展的規律性》的文章中[二十七]，又把“俟”母分出，形成聲母三十七類，較李榮的系統只多一個“娘”母。

邵榮芬也是根據李榮《切韻音系》中《全王》的反切，考訂《切韻》聲母爲三十七類，也是比李榮系統只多出一個“娘”母。

周法高《論切韻音》主張《切韻》聲母當爲三十七類，與李榮比較，則“云”（喻三）母自“匣”母分出，“娘”母自“泥”母分出，而把“俟”母取消。

第三節　“俟”母和“喻三”的問題

“泥”、“娘”兩母的分立，王、邵、周三家都是同一主張，應再無爭論。但“俟”母應否分出及“喻三”入“匣”的問題，尚有異議，所以不得不作論辯。

＜甲＞　“俟”母

《廣韻》“俟”，床史切；“士”，鉏里切。史、里爲“止”

[二十七] 載於王力《論學新著》，頁 8~30 廣西人民出版社。

韻開口字，因此“俟”和“士”是同韻同等同呼。“床”，士莊切。因此“俟”和“士”也可系聯爲同一聲類。根據《廣韻》的反切，“俟”和“士”應爲同音字，但《廣韻》卻注以兩個切語，陳澧以爲是《廣韻》誤分兩讀[二十八]，所以刪去“俟”小韻。姜亮夫認爲錯誤地把“俟”字獨立爲一小韻，是由唐代開始的。《瀛涯敦煌韻輯・論部六》說：

> 俟漦二字與上（案：指鋤士）不系聯。“止”韻俟在士字鋤里切紐下，則俟不當再為“床”紐，而“之”韻漦字俟之切，當入“床”紐，決無疑問，則俟字必屬“士”紐，不當獨為一紐。然諸唐人韻書如 *P2011*，柏林藏行書本皆士俟分之，而俟又皆漦史切。故宮王仁昫本更作鋤使切，則其誤蓋自唐人始矣（徐鍇《篆譜》作床史，亦次鋤里切之下，則李舟亦同矣）。以意度之，漦史一切，當為俟之又切，唐人韻書固有紐首不加圖志者，遂誤為正切，然其事必起甚早，故唐人書無不襲其誤者矣。《切韻考》刪棄此字，是也[二十九]。

案姜氏據 S2011 、 S2071 卷（即切三）反切上字系聯“床”母，發現“之”韻漦字俟之反、“止”韻俟字漦史反，不能與“床”母鋤、助、士等字系聯，所以作上述推測。然引文的初段文字，語意稍涉含混。若“‘止’韻俟在士字鋤里切紐下”，改爲“‘止’韻俟字

[二十八] 見陳澧《切韻考》卷四，頁 84~85 。

[二十九] 見姜亮夫《瀛涯敦煌韻輯・論部》六，頁 310 。

漦史切次於士字鋤里切紐下”，則不但文意清楚，且符事實。查姜本 S2071 卷，俟字不在鋤里切下，俟字漦史切，另立爲一小韻，排列緊次於士字小韻下。姜氏認爲漦字俟之切，當入“床”紐（姜氏沒有說明原因），因此，以漦爲切語上字的“俟”字，必屬“士”紐。俟屬“士”紐，就不應獨立爲一小韻，他以爲這是《切韻》原本的事實，後來因爲唐人的韻書，紐首不加圖志而誤以又切爲正切，於是俟字脫離“士”紐而獨立，另作切語。這便是故宮王仁昫本俟字作鋤使反、全王本作漦史反，《廣韻》俟字床史切與士字鉏里切分立的緣故。簡言之，姜氏認爲《切韻》初期只有“士”紐，唐以後誤出“俟”小韻，所以陳澧把它刪掉是很恰當的。

姜氏所言，縱然有些根據，但並不盡實。今觀《切韻》早期卷本，俟字悉作“漦史”反。“鋤使”反，或“床史”反只出現於後期卷本。茲將俟、漦二字的切語，按《切韻》系韻書之先後時期排列如下：

字\韻書	切三	TIV K75100b	切二	P2011	王二	全王	裴本	廣韻	集韻
漦	俟之		俟淄			俟淄		俟甾	俟甾
俟	漦史	漦史		漦史	鋤使	漦史	鋤使	床史	床史

可見《切韻》較早之卷本，俟、漦兩字的切語上字兩兩互用，獨立於士、鋤、助一組的反切上字之外。即顯示它的讀音與“士”紐殊別。《王二》、裴本《刊謬補缺切韻》、《廣韻》和《集韻》俟字的反切上字已與“士”母系聯，表示後期“俟”字的音讀已混入於

"士"而不分了。《七音略》、《韻鏡》以至後期《切韻指掌圖》、《四聲等子》均置"俟"、"漦"(案:《韻鏡》不收"漦"字)於"禪"母二等地位,與"士"、"茬"兩小韻對立。可見韻圖作者亦認爲俟與士、漦與茬的讀音不同。周法高認爲俟漦"只有兩個反切,可以暫時不必爲兩個字而分出一類"[三十]。但既然《切韻》有獨立的"俟"聲母,應按事實而把它分別出來。

<乙> "喻三"入"匣"

"喻三"應否入"匣",討論者眾。主張"喻三"入匣者以葛毅卿《喻三入匣再證》、曾運乾《切韻五聲五十一紐考》、《喻母古讀考》、羅常培《經典釋文和原本玉篇反切中的匣于兩紐》四文所提出的論證最爲有力,且爲大多數學者所認同。茲綜合介紹這一主張的主要觀點:

(一)《切韻指掌圖檢例》有"辨'匣'、'喻'二字母切字歌"一條,原文云:

> 匣闕三四喻中覓,喻虧一二匣中窮。上古釋音多具載,當今編韻少相逢。

可見"匣"、"喻"兩紐在古代韻書中關係甚爲密切。

(二)《切韻·序》:"先仙尤侯俱論是切"。尤侯爲類隔雙

[三十] 見周法高《論上古音和切韻音》,載於《中國音韻學論文集》頁101。

聲，《切韻》作者舉此以明分別紐類之意。尤，于求切；侯，胡溝切。尤爲“蕭”韻，于爲“虞”韻，皆弇音。侯與“模”韻的胡字，皆“虞”韻的侈音。于，是“喻三”字；胡，是“匣”紐字。“喻三”與“匣”紐音近而其分別在於細洪弇侈而已。

（三）《經典釋文》反切上字系聯可得“戶”、“于”兩類。“戶”相當於《廣韻》“匣”類；“于”相當於《廣韻》“喻三”類。兩類雖然大體自成系統，然彼此間常有錯綜的關係。如“戶”類“滑”字有胡八、乎八、于八三個反切；“猾”字有于八、戶八兩個反切；“皇”字也有于況、胡光兩個反切。又如在《萬象名義》中原本《玉篇》音系中，“匣”、“于”兩紐有著不可分割之趨勢。此外，南齊王融、北周庾信各有一首雙聲詩，均以“于”、“匣”兩紐字組成。可見從五世紀到六世紀末“匣”、“于”兩紐都有混合不分的現象，而且時代越早，混合的跡象更明顯。

（四）“匣”類有兩個上古來源：1）與[k]、[kʻ]諧聲或互讀的是來自[gʻ]音；2）與[x]諧聲的是來自[ɣ]音。[gʻ]、[ɣ]的演變情況爲：

上古音：	gʻ	ɣ	ɣ(i)	gʻ(i)
六世紀初：	ɣ（匣）	ɣ（匣）	ɣ(i)（于）	gʻ(i)（群）
六世紀末：	ɣ	ɣ	ɣj>j	gʻj

從古音演變的階段來看，在《切韻》（六世紀初）時代，“匣”“于”兩類的關係猶如“見”母之古、居兩類，只是洪細不同而已，所以

無須分作兩紐[三十一]。

然而，周法高和陳新雄卻持有不同的意見。周氏《論切韻音》“註八”云：

> 有人把“匣”紐和“喻”云紐合併為ɣ，在後來方言的演變上也不大適合，倒是“匣”紐和“羣”紐可以對補，而在後來方言濁上變去的演變上是一致的。

陳新雄在《廣韻聲類諸說述評》一文中評論李榮三十六類時說：

> “于”母併入“匣”母，在上古音系或當如此，中古音系則未必然，蓋“匣”母上聲字今國語變去聲，“于”母則保持讀上聲不變，與“喻”相同，可見“匣”“于”在中古自應有別，故後來演變不同。

在現代方音中，“匣”紐一二等變讀[x]或[h]；四等合口有變讀[x]、[h]，如“齊”韻；有變讀[ɕ]，如“先”韻；四等開口則悉變作[ɕ]。“于”類則全變作以元音開頭。聲調變化方面：“匣”類的上聲變去，而“于”類則保持不變。由於“匣”、“于”在現代方音中的變化有那麼大的差異，所以周陳二氏有“匣”、“于”分紐的主張。

[三十一] 上述四點見羅常培《經典釋文和原本玉篇反切中的匣于兩紐》，載於中央研究院歷史語言研究所集刊8本1分，頁85~90。

竊以爲解釋“匣”、“于”兩類字在現代方音的不同演變易，而要推翻中古“匣”、“于”混切的事實難。假設中古“匣”爲[ɣ]音，而“于”爲[ɣi]音。由於[i]元音較鬆，[ɣ]受[i]影響而慢慢脫落。這種變化應由唐代開始，而到宋代完成。所以韻圖把“于”母字與“喻四”字排在同一直行，而空出“匣”母三等位置。這樣按排說明“于”母已由[ɣi]蛻變至與“喻四”[ji]混同了。至於在現代方言中“匣”母字的聲調由上聲變作去聲，“于”母與“喻四”則保持原本調類不變，可能聲調變化的產生是在“于”母失掉[ɣ]而走向“喻四”之後，所以“于”類字沒有跟著“匣”紐字的變化而變化。另外，韻圖中有一個例外，就是“東”韻“雄”字置於“匣”三等地位。雄，《切三》羽隆反；《廣韻》羽弓反。羽屬“于”紐，按例應置於“喻”三等位置，但現在卻放在“匣”三等中。我們可以這樣推想：“喻三”與“匣”曾爲一類，“喻三”後來演化，脫離“匣”母，但“雄”字沒有跟隨變化，而保持原來的語音地位，它本來是詞彙語音遷移被遺棄的一個，卻成爲“喻三”入“匣”的重要線索。總之，現代方音只顯示後期語音轉變的狀況，不足以否定中古時“匣”“于”一紐的事實。因此，本書仍以“喻三”入“匣”紐。

“俟”母與“喻三”入“匣”的問題既得解決，《切韻》的聲母便告論定。《切韻》聲母共三十七類，名稱如下：

脣音：	幫	滂	並	明
舌音：	端	透	定	泥
	知	徹	澄	娘

齒音：精　清　從　心　邪
　　　章　昌　禪[三十二]　書　船
　　　莊　初　崇　生　俟
牙音：見　溪　群　疑
喉音：曉　匣　影　喻四
半舌：來
半齒：日

第四節　《切韻》聲母的音值

清陳澧著《切韻考》，考訂《切韻》聲母四十類。他所開創的系聯法，爲後來學者所沿用。瑞典高本漢作《中國音韻學研究》，測擬《切韻》聲母的音值。他所運用的歷史比較語音學方法，亦爲中國學者所取效。他們兩人可謂是中國音韻學研究的雙璧，奠基的功臣。但前修未密，後出轉精，是學問研究必然的發展。陳澧考據雖然樸實，但亦有人出來指出他的紕謬；高氏擬音縱然精審，但也有很多的地方不獲見信。學問是須要不斷論辯，不斷整修，方臻完善。中國學者於高本漢《切韻》音值的修正，實在有刊謬補缺之功。本書根據陸志韋、李榮、王力、董同龢、羅常培、周法高、邵榮芬和陳新雄等學者的研究，參以本人意見，重訂《切韻》聲母音值爲若干條如下：

[三十二] "禪"母與"船"母音值互調，理由見本章第四節丙部。

<甲>　三等聲母 j 化的取消

高本漢在《中國音韻學研究》第二章“古代漢語的音系”提出了聲母[j]化的條件，他說：

> 我們先把只有一行聲母（見溪等）那幾欄的一三兩等比較一下，就可以看見這兩等的字從來不用同樣反切上字來切的。它們的反切上字清清楚楚分成兩套。這個區別在什麼地方呢？要把這個區別適用於所有各樣的聲母，選擇的機會就很有限了。因為它既然不能是指送氣的力量，像 k ，k'那類聲母所表示的，那麼很自然的就會想到 *j* 音的有無了。這個假設再加上了底下兩個情形就可以變成確定的了。
>
> *1*. 在三等字的主要元音前頭總有一個 *i* 介音；
>
> *2*. 分析這兩等反切用字的性質。例如：
>
> | | | | |
> |---|---|---|---|
> | 一等 | 古 公
工...... | 苦 口
康...... | 呼
荒...... |
> | 三等 | 居 舉
九...... | 去 丘
豈...... | 許
虛...... |
>
> 這些一等的字在現代的官話都是硬音，三等的字在現代官話都變成顎化的塞擦音或擦音[三十三]。

又說：

[三十三] 高本漢《中國音韻學研究》，頁 29~30 。

> 照 *Schaank* 的假設四等應該是單純聲母，這從反切上可以證明出來，因為一四等所用的反切上字是不分的。......說到二等，反切就同 *Schaank* 的意見毫不相合了。反切可以絶對嚴格的證明所有後來放在韻表二等的字在古代漢語裏聲母也像一等一樣是單純的，因為反切的上字兩者相同[三十四]。

同書第十七章“古代韻母的擬測”說：

> 這就是説 γ 韻（案指純四等韻）有一個元音性的 i ——在這個 i 前的聲母都不 *j* 化；α 韻(案指三四等合韻)有一個輔音性的 ɪ ——在這個 ɪ 前的聲母都 *j* 化（只有 *t* *s* 等跟 t ʂ 等是從來不 *j* 化的）[三十五]。

簡言之，高氏三等聲母[j]化的根據有三：1）一二四等與三等反切上字嚴分兩類。2）三等韻一律有輔音性[ɪ]介音，在這個[ɪ]介音前的聲母都會受影響而[j]化；3）三等聲母在現代官話均變成顎化之塞擦音或擦音。

然而高氏這三根據，核之以事實，沒有一個是絕對準確的。分論如下：

[三十四] 同前註。

[三十五] 同前書，頁 473。引文乃譯者參照著者 1922 年所作之 The Reconstruction of Ancient Chinese, T'oung Pao xxI, pp.25~32 改譯。

（一）《切韻》反切上字一二四等與三等只有分組的趨勢，而不是必然對立的。如《全王》二等“潸”韻“阪”字扶板反；三等“月”韻“伐”字房越反。扶房可系聯爲一類，這就是二等與三等聲母混切的證據。邵榮芬曾統計聲母三等與一二四等切上字混用的數字，《王三》（即《全王》）混用佔總數百分之九點四；《廣韻》混用佔百分之九點一[三十六]。可見一二四等與三等反切上字分組並非絕對的。

（二）核之以現代方音，[j]化亦無根據。二等韻“交”字古肴反。照高氏意見，古不[j]化，但不北京音[tɕiau]，顎化。三等“脂”韻合口“龜”字居追反。居，[j]化。但京音[kuei]，不顎化，與高氏說相反。

（三）高氏謂輔音性[ɪ]前聲母j化；元音性[i]前不[j]化。而“止”攝各韻主元音高氏擬爲[i]，照理聲母不[j]化。但“止”攝各韻是三等韻，三等韻的聲母一律[j]化，高氏解釋這一矛盾時說：

> *124* 脂 *a*‘肌’和 *125 a*‘己’*k j i* 是分別從 *Arch.* [kɪɛr*]、[kɪəg*]而來，所以在輔音性ɪ前的聲母自然就按例而軟化了[三十七]。

不過照高氏的另一本著作《中國聲韻學大綱》的系統，上古第三十

[三十六] 見邵榮芬《切韻研究》，頁91。

[三十七] 見張洪年譯高本漢《中國聲韻學大綱》，頁73。

五組“歌”部有一類韻高氏定為[ia]音，到中古變為“支”韻[ie][三十八]。這類韻始終有元音性的[i]音。“支”韻聲母[j]化，又有何根據？

此外，有一類字屬三等韻，照高氏原則應有[ɪ]介音，而在前面的聲母一定[j]化。但這類字均列在韻圖的四等地位。如“紙”韻開口俾、諀、婢、渳等字，“寘”韻開口“䗁”等字與列在三等之彼、破、被、靡、寄等字對立。高氏為了保持四等聲母純粹而不[j]化的原則，便把這些列在韻圖四等地位的三等韻字視作例外，說：

> 此中固然有不少數字，在韻表裏從三等變成四等，就是說，丟掉了 j。這是《切韻》以後的演變，因為《切韻》對 j 是絕對嚴格的分別出來的[三十九]。

然而，這類字絕不少，而且《切韻》時代已與列在韻圖的三等字嚴格分別開來，注以異切。它們不是在《切韻》以後才從三等變為四等的。在《切韻》時代它們與三等的字必定有所差異（下章討論這個差異）。大概而論，它們與三等的關係是：反切上字可以系聯為一類，反切下字卻系聯不上，足見在《切韻》中，這兩類字的聲類是相同的（但不是如高氏說都有[j]化）。這兩類字聲類既相同，又同具輔音性的[ɪ]介音（三等韻必具有[ɪ]介音），在語音條

[三十八] 同前書，頁 232~233。

[三十九] 高本漢《中國音韻學研究》，頁 471。

件完全相同的情況下，如何一類（三等）會掉丟[j]音而另一卻可保存下來？又齒音“精”系聲母與有[ɪ]介音的三等韻結合，如何能保持純粹而不[j]化？由於有這樣多的難題，高氏三等聲母[j]化說顯得牽強而無理據，因此本書認爲《切韻》時代的三等聲母還是純粹的聲母，它們並沒有[j]化。

聲母的[j]化既不足信，何以反切上字一二四等與三等有分組的趨勢？我以爲是受韻的洪大弇細性質影響所致。洪大的韻，舌位必低且後；弇細的韻，舌位必高且前。同一聲母和它們相拼，其發音部位自然受韻的高低前後的舌位影響而略爲偏前靠後。所以，自發音的細微處觀察，一二三四等的聲母均有些不同；但從音位學而言，這些差異並不辨義，四個等的聲母可歸納爲一個聲母。一二四等與三等分組趨勢較爲顯著，是因爲一二四等的韻母沒有[i]介音，而三等韻母具有[i]介音。

<乙> 濁塞音與濁塞擦音不送氣

《切韻》濁塞音“並”、“定”、“澄”、“群”及濁塞擦音“從”、“崇”、“船”各母，高本漢訂爲送氣音。李榮《切韻音系》、陸志韋《古音說略》、邵榮芬《切韻研究》均表反對，且臚列證據，證明這七個聲母爲不送氣音。其言甚確。茲再舉兩種資料，附證於後。

（一）周隋長安方音

尉遲治平在《周隋長安方音初探》[四十]一文中，利用由北周至

[四十] 載於《語言研究》總第 3 期，頁 18~33。

隋代的梵經長安譯音，整理出公元六、七世紀的長安方音。尉遲氏所用的梵漢對音資料，是採自北周及隋代四位天竺高僧闍那崛多、闍那耶舍、耶舍崛多和達摩笈多所譯的四十二部一百七十八卷佛經。四位高僧的譯經時間是從北周保定四年（５６４年）至隋仁壽四年（６０４年）。他們久居長安，通華語、隋語，譯經所採用之語音，爲長安音無疑。尉遲氏又謂所使用的字例，主要採自密咒與字母，只有在討論韻母時，才選用個別譯名的對音字。由於他選材審愼，研究態度嚴謹，所得的結論，自然相當可靠。

梵文濁輔音有送氣和不送氣兩套，據《周隋長安方音初探》，經師譯音處理的方法是：

１．在密咒對譯中，梵文送氣濁輔音的對譯有用全淸字，如 dharani “多囉尼”中的 dha “多”；亦有用全濁字，如çuddhani “輸但尼”中的 dhan “但”。但梵文不送氣濁輔音只用全濁字對譯，如 hingule “興渠梨”中的 gu “渠”。

２．用全濁字對譯梵文送氣濁輔音時，有時加“口”旁表示其讀音特殊。如 bhuru “哹嚧”中之 bhu “哹”，bhuta “[口浮]多”中之 bhu “[口浮]”。gha 譯作“[口伽]”，dha 譯作“嗏”，dha 譯作“咃”，都是本無其字，經師臨時造出以譯梵文送氣濁輔音的“符號”。

３．譯經常用字如伽、陀、毘、婆，爲習經者所熟悉，所以用這些字來譯梵文送氣濁輔音，有時不加特殊標誌。如“婆”字在 abhipada “阿鼻婆陀”譯 pa，在 abanamani “阿婆那摩泥”中譯 ba，在 bhagarate “婆伽婆帝”中譯 bha。

根據上述三點，尉遲氏作出結論謂周隋長安方音“並”、“定”、“澄”、“群”、“從”、“船”等全濁聲母應該不是送氣音。

（二）唐中原方音

施向東著《玄奘譯著中梵漢對音和唐初中原方音》【四十一】（以下簡稱《唐初中原方音》）一文，是利用玄奘的梵漢對音考察公元七世紀中原方言的語音系統。所採用的材料，取自玄奘全部譯著，約分爲三類：一爲圓明字輪譯音（即字母譯音）；一爲密咒對音；另一種爲梵詞音譯。前兩種譯音之準確性，無須置疑。後一種譯音之可靠性，則受人質疑。但玄奘在《大唐西域記》中，常有小字夾注，改正舊譯音，可見這些梵詞譯音可信度高，所以施氏亦採用這些材料。

施氏發現梵文送氣和不送的濁輔音，玄奘均以濁聲母字對譯，但亦有例外。例外字與所對譯之梵音應有某方面相似性，斯能相混。若梵音不錯譯成某唐音字，則該唐音與梵音必無相似性。施氏於是找出所有例外字及其所對譯之梵音（清濁輔音），製成一表，顯示其錯誤（例外）對譯之規律性。

	梵音		唐音		誤譯舉例	總例數	特點
	送氣	清濁	送氣	清濁			
1	送	濁	送	清	magha 磨祛（祛 kh）	2	都送氣
2	送	濁	不	清	無	0	無共同點
3	不	濁	不	清	badaksana 缽鐸創那（缽 p）	2	都不送氣
4	不	濁	送	清	無	0	無共同點

【四十一】載於《語言研究》總第4期，頁27~48。

5	送	清	不	清	jyestha 逝瑟吒（吒 t）	1	都是清音
6	送	清	不	濁	無	0	無共同點
7	不	清	送	清	kothari 朅他羅（朅 kh）	6	都是清音
8	不	清	不	濁	nilapota 尼羅蔽荼（荼 d）	9	都不送氣

表中顯示，唐梵對音中，有共同點者，均有例外字；而在第六欄中，唐濁聲母與梵送氣之清音無共同點，所以沒有列外字，施氏便以此認爲唐中原濁聲母不送氣。

長安與洛陽（中原）在《切韻》時代乃北方兩大方言區，這兩種方言的語音與《切韻》音系有著千絲萬縷的關係，既然長安、洛陽的濁聲母在當時都不送氣，《切韻》的濁聲母亦應不送氣。所以本書擬定《切韻》的“並”、“定”、“澄”、“群”、“崇”及“船”諸母爲不送氣的濁塞音或濁塞擦音。

<丙>“莊初崇生俟”與“章昌禪書船”的音値

“章”組（照三）各家擬音大體一致，乃舌面前塞擦音［tɕ］、［tɕʻ］、［dʑ］和擦音［ɕ］、［ʑ］。但陸志韋、周法高和邵榮芬把高本漢的“牀”（船）［dʑ］、禪［ʑ］兩母的音値互調。今據《周隋長安方音初探》“船”、“禪”均對梵文舌面濁塞擦音 j［dʑ］，而“禪”母字比“船”母字在對譯運用中，較爲主要；《唐初中原方音》只以“禪”母字對梵文 j［dʑ］，則知“船”、“禪”二母在當時的北方兩大方言中有未分化的，而已分化的又以“禪”母爲濁塞擦音［dʑ］，“船”母就不得不爲濁擦音［ʑ］了。

“莊”組各母，羅常培、李方桂和周法高均同意高本漢擬爲舌尖後之塞擦音[t ʂ]、[t ʂʻ]、[d ʐ]與擦音[ʂ]。陸志韋、李榮、王力、邵榮芬和陳新雄等則表反對，蓋[t ʂ]與三等[i]介音的韻如[i a]拼讀會產生困難，故把“莊”組各母改爲舌葉塞擦音與擦音：[tʃ]、[tʃʻ]、[dʒ]、[ʃ]、([ʒ])。今從之。唯肯定俟母[ʒ]之獨立。

<丁> “知徹澄娘日”五母的音值

大部分學者贊同高本漢擬“知”組聲母爲舌面前塞音：[ȶ]、[ȶʻ]、[ȡʻ]、[ȵ] 。羅常培《知徹澄娘音值考》[四十二]根據華梵對音與藏譯梵音,認爲“知”、“徹”、“澄”三母與梵文“舌音”t、th、dh相當，應讀作舌尖後音：[ʈ]、[ʈʻ][ɖ]，娘母亦應與n相當，即讀舌尖後的鼻音[ɳ]。陳新雄批評此種說法：

> 但是捲舌聲母跟 *j a* 類韻母的結合，總是感到十分彆扭的。而且羅氏《中原音韻聲類考》認為“知”“徹”“澄”的聲母是讀作 tʃ 、tʃʻ 的，假定國語音系是從《中原音韻》一系發展出來的，那麼它們從《廣韻》到國語的發展，就如同下式：
>
> ʈ —— tʃ —— tʂ
>
> 這種先是捲舌聲，再變舌尖面混合聲，又回到捲舌聲一類的發展，也是不合邏輯的[四十三]。

[四十二] 載於《史語所集刊》第 3 本 1 分(1931 年)。

[四十三] 見陳新雄《廣韻四十一聲值的擬測》，載於《鍥而不舍齋論學集》，頁 262 。

其言甚審。但“知”組聲母與“莊”組聲母的性質相似：可與二三等韻結合；而且反切上字二三等又能連成一類。所以李榮認爲“知”“莊”兩組聲母發音部位近於[ʃ][四十四]。本書也以爲“知”組聲母是與“莊”組紐同部位的塞音及鼻音，但無適當的音標可用，因此仍以[ȶ]、[ȶʻ]、[ȡ]、[ȵ]來表“知”、“徹”、“澄”、“娘”四母。

高本漢擬“日”母爲[ȵʑ]；董同龢、李榮、周法高則作[ȵ]。陸志韋、王力、邵榮芬、陳新雄從高本漢所擬音。陳新雄引江永《音學辨微》論“日”母發音方法：“娘字之餘，齒上輕微”，說“日”母帶有某種鼻音與某種擦音之性質。又據諧聲說，“日”母字來源多屬鼻音，所以在上古時期，“日”母應爲[n]。然在[ja]類韻母前變作[ȵ]，即[nja]→[ȵja]，其後在[ȵ]與元音間產生一個滑音，即一種附帶擦音，跟[ȵ]同部位的[ʑ]音（ȵja→ȵʑja），到《切韻》時代這個[ʑ]音日漸明顯，成爲舌面前鼻音與擦音之混合體[ȵʑ][四十五]。本書從之，也定“日”母爲[ȵʑ]音。

<戊>　“影喻四曉匣”母的音值

高本漢測擬“影”母爲喉壁音[ʔ]，大多數學者均表贊同。但陸志韋、王力卻認爲是零聲母。考平聲分化爲陰陽調的現代方言，

[四十四] 見李榮《切韻音系》，頁 127。

[四十五] 見註四十三，同書，頁 269~270。

"影"母字大體讀陰聲調。若"影"母字為零聲母，即以元音（濁音）開頭，在這些方言中應分化為陽聲調。再者，"影"母入聲字在《中原音韻》中與次濁聲母派入去聲，現代國語"影"母入聲字亦大部分都變作去聲。由此推想："影"母初為清喉壁音[ʔ]，在濁聲母清化、陰陽調分化的時侯，平聲的字跟其他清聲母的字一同變為陰聲調。其後到《中原音韻》時代前後，[ʔ]音脫落，"影"母字便變成以元音開頭，剛巧入聲字在這個時代派到三聲去，"影"母的入聲字便隨濁聲母字派入去聲了[四十六]。

"喻三"入"匣"，前文已有所交代。"喻四"高本漢擬為[O]。董同龢、李榮、周法高、邵榮芬、陳新雄從之。陸志韋、王力則擬作[j]。案《周隋長安方音初探》及《唐初中原方音》經師均以"喻四"字對譯梵文 y 半元音。所以把"喻四"擬為[j]似較合理。

"曉"、"匣"兩母各家均標作[x]、[ɣ]，今從其說。至於"見"組、"端"組、"精"組各母及"來"母，除取消濁音之送氣符號外，悉依高本漢的擬音。

第五節　《切韻》聲母音值表

本節把《切韻》聲母音值之研究所得結果，按其發音部位，發音方法，製成一聲母音值表，以本章之總結。

[四十六] 見邵榮芬《切韻研究》，頁 108。

《切韻》聲母音值表

發音方法＼發音部位				新	雙	齒	前齦	齦顎間	硬顎前	硬顎	軟顎前	喉壁
			＼	名	唇	舌	尖	舌葉	舌面		舌根	
新	名			舊名	重唇		舌頭	舌上			牙	喉
塞音	非鼻音	不帶音	不送氣	清	幫 p		端 t	知 ʈ			見 k	影 ʔ
			送氣	次清	滂 pʻ		透 tʻ	徹 ʈʻ			溪 kʻ	
		帶音	不送氣	濁	並 b		定 d	澄 ɖ			群 g	
	鼻音			次濁	明 m		泥 n	娘 ɳ			疑 ŋ	
塞擦音		方法＼部位				齒頭		正齒		喉		
		不帶音	不送氣	清		精 ts		莊 tʃ	章 tɕ			
			送氣	次清		清 tsʻ		初 tʃʻ	昌 tɕʻ			
		帶音	不送氣	濁		從 dz		崇 dʒ	禪 dʑ			
摩擦音		不帶音	不送氣	清		心 s		山 ʃ	書 ɕ		曉 x	
				次清								
		帶音		濁		邪 z		俟 ʒ	船 ʑ		匣 ɣ	
				次濁						喻 j		
		方法＼部位					半舌		半齒			
鼻音		帶音	不送氣	次濁					日 ɳʑ			
邊音							來 l					

第三章　《切韻》韻母的音值

第一節　《切韻》開合口與唇音字

韻的開合口呼觀念是由宋元等韻學家所提出的。宋元等韻學家爲了剖析韻書的字音，編製韻圖，橫列字母，縱分等別，標明開合，使字在韻圖上各有定位。吾人可以憑著所檢字的韻圖位置，得知該字的聲韻等呼。韻圖分析字音，較反切精細，是研究《切韻》音系的重要工具。早期韻圖，大體反映《切韻》音系的，只有《七音略》和《韻鏡》兩種。《七音略》每圖末尾都標明重輕；而《韻鏡》則於圖首定明開合。考《四聲等子·序》："審四聲開闔以權其輕重"[一]一語，則知輕重即開合的意思。陳新雄《等韻述要》第三章"《七音略》"論輕重與開合名異而實同說：

> 凡《七音略》所謂"重中重"、"重中重（內重）"、"重中重（內輕）"、"重中輕（內重）"、"重中輕"者，皆標（案《韻鏡》所標也）為開；所謂"輕中輕（內輕）"、"輕中重"及"輕中重（內輕）"者皆標為合[二]。

[一]《咫進齋叢書本》，收入《等韻五種》，藝文印書館。

[二]陳新雄《等韻述要》，藝文印書館。

陳新雄更清楚指明《七音略》的"輕重"在《韻鏡》中名爲"開合"。繼後韻圖如《四聲等子》、《切韻指掌圖》、《切韻指南》等，都有輕重開合的製置。至於開合口呼的性質，歷來皆有論述。清代學者中，以江永所說最爲明晰。他在《音學辨微》說：

音呼有開合口：合口者吻聚，開口者吻不聚也[三]。

吻聚與吻不聚，其實即圓唇與不圓唇。以現代語音學觀念解釋，開口呼指韻無[u]介音或不以[u]爲主元音；相反，韻有[u]介音或以[u]爲主元音，則爲合口呼。開合口呼的性質既明，以下便探討《切韻》韻部的分類和唇音字性質的問題。

<甲>　《切韻》韻部的分類——獨韻、合韻、分韻

韻圖的價值，不僅在於顯示韻的等呼。它分立出獨韻類，別於開合口韻，使吾人得到啓發，轉從音位學原理研究韻的開合口問題，成績斐然。先將《七音略》、《韻鏡》、《切韻指掌圖》描寫《切韻》韻部的開合口情況列表比較，然而分析其性質。

韻數	韻目				七音略	韻鏡	切韻指掌圖	本書分類
	平	上	去	入				
1	東	董	送	屋	重中重	開	獨	獨韻開口[四]

[三] 《廣文書局》印行，頁36。

[四] 大多數學者認爲"東"的主元音是u，故定爲合口韻。但《韻鏡》、《七音略》明明標作開口，今從之，並擬"東"的主元音爲[o]。

2	冬		宋	沃	輕中輕	開合	獨	獨韻合口
3	鍾	腫	用	燭	輕中輕	開合	獨	獨韻合口
4	江	講	絳	覺	重中重	開合	合[五]	獨韻開口
5	支	紙	寘		重中輕(內輕) 輕中輕	開合 合	開 合	合韻開合
6	脂	旨	至		重中重 輕中重(內輕)	開* 合	開 合	合韻開合
7	之	止	志		重中輕(內重)	開	開	獨韻開口
8	微	尾	未		重中輕(內輕) 輕中輕(內輕)	開 合	合	合韻開合
9	魚	語	御		重中重	開	獨	獨韻開口
10	虞	麌	遇		輕中輕	開合	獨	獨韻合口
11	模	姥	暮		輕中輕	開合	獨	獨韻合口
12			泰		重中重 輕中輕	開 合	開 合	合韻開合
13	齊	薺	霽		重中重 輕中輕	開 合	開 合	合韻開合
14			祭		重中重 輕中輕	開 合	合	合韻開合
15	佳	蟹	卦		重中重 輕中輕	開 合	開 合	合韻開合

[五] 《切韻指掌圖》把"江"韻與"陽"、"唐"二韻合口字同列一圖中，標以合口。實則"江"無對立的合口韻，所以我以"江"爲開口的獨韻。

16	皆	駭	怪		重中重 輕中輕	開 合	開 合	合韻開合
17			夬		重中重 輕中輕	開 合	開 合	合韻開合
18	灰	賄	隊		輕中重	合	合	分韻合口
19	咍	海	代		重中重	開	開	分韻開口
20			廢		重中輕(內輕) 輕中輕(內輕)	開 合	合	合韻開合
21	眞	軫	震	質	重中重 輕中輕	開 合	開 合	合韻開合
22	臻			櫛	重中重	開	開	入眞二等【六】
23	文	吻	問	物	輕中輕	合	合	分韻合口
24	殷	隱	焮	迄	重中輕	開	開	分韻開口
25	元	阮	願	月	重中輕 輕中輕	開 合	開 合	合韻開合
26	魂	混	慁	沒	輕中輕	合	合	分韻合口
27	痕	很	恨		重中重	開	開	分韻開口
28	寒	旱	翰	末	重中重	開	開	合韻開合

【六】"臻"韻只有正齒二等"莊"系母三字：臻，側詵反、榛，仕臻反、莘，踈臻反。"櫛"韻亦只有"莊"紐櫛，阻瑟反，"山"紐瑟，所櫛反二字。"眞"韻正缺乏"莊"系紐字，"質"韻亦無"莊"、"山"母字。等韻家把"眞"和"臻"；"質"和"櫛"置於同轉二三四等中，剛成互補，本書因此而併"臻"於"眞"，"櫛"於"質"。

					輕中輕	合	合	
29	刪	潸	諫	黠	重中重 輕中輕	開 合	開 合	合韻開合
30	山	產	襉	鎋	重中重 輕中輕	開 合	開 合	合韻開合
31	先	銑	霰	屑	重中重 輕中輕	開 合	開 合	合韻開合
32	仙	獮	線	薛	重中重 輕中輕	開 合	開 合	合韻開合
33	蕭	篠	嘯		重中重	開	獨	獨韻開口
34	宵	小	笑		重中重	開 合(誤)	獨	獨韻開口
35	肴	巧	效		重中重	開	獨	獨韻開口
36	豪	皓	號		重中重	開	獨	獨韻開口
37	歌	哿	箇		重中重 輕中輕	合(誤) 合	開 合	合韻開合
38	麻	馬	禡		重中重 輕中輕	開 合	開 合	合韻開合
39	覃	感	勘	合	重中重	開	獨	獨韻開口
40	談	敢	闞	盍	重中輕	合(誤)	獨	獨韻開口
41	陽	養	漾	藥	重中重 輕中輕	開 合	開 合	合韻開合
42	唐	蕩	宕	鐸	重中重 輕中輕	開 合	開 合	合韻開合

43	庚	梗	敬	陌	重中重 輕中輕	開 合	開 合	合韻開合
44	耕	耿	諍	麥	重中重 輕中輕	開 合	開 合	合韻開合
45	清	靜	勁	昔	重中重 輕中輕	開 合	開 合	合韻開合
46	青	迥	徑	錫	重中重 輕中輕	開 合	開 合	合韻開合
47	尤	有	宥		重中重	開	獨	獨韻開口
48	侯	厚	候		重中重	開	獨	獨韻開口
49	幽	黝	幼		重中重	開	獨	獨韻開口
50	侵	寑	沁	緝	重中重	合(誤)	獨	獨韻開口
51	鹽	琰	豔	葉	重中重	開 合(誤)	獨	獨韻開口
52	添	忝	㮇	怗	重中重	開	獨	獨韻開口
53	蒸	拯	證	職	重中重 輕中輕	開 合	開 合	合韻開合
54	登	等	嶝	德	重中重 輕中輕	開 合	開 合	合韻開合
55	咸	豏	陷	洽	重中重	開	獨	獨韻開口
56	銜	檻	鑑	狎	重中重	合(誤)	獨	獨韻開口
57	嚴	广	嚴	業	重中重	合(誤)	獨	分韻開口
58	凡	范	梵	乏	輕中輕	合	獨	分韻合口

* 一韻縱列開合者，即一韻具開合兩圖。

《七音略》的輕重與《韻鏡》的開合大體相對應，前文經已述及。但《韻鏡》於40“談”、50“侵”、56“銜”、57“嚴”定爲合口；於34“宵”、51“鹽”另闢合口圖；於37“歌”兩圖皆合口，均誤。今依《七音略》改正。至《韻鏡》2“冬”、4“江”等“開合”之意；《七音略》“內輕”、“內重”之別，則難於質辨。

根據上表，《切韻》195韻應分爲獨韻、合韻與分韻三類。所謂獨韻，《切韻指掌圖》“辨獨韻與開合韻例”有說：

> 總二十圖，前六圖係獨韻，應所切字不出本圖之內。其後十四圖係開合韻，所切字多互見。如眉箭切面字，其面字古在第七干字圖內明母字下，今乃在第八官字圖內明字母下。蓋干與官二韻相為開合。他皆倣此[七]。

《切韻指南》通攝內一註云：

> 獨韻者，所用之字，不出本圖之內[八]。

所用字不出本圖的意思，即獨韻只有一圖，所有的字沒有開口、合口的對立，均置在這一圖中。沒有開合對立的韻，就無所謂有沒有[u]介音，因爲這樣的[u]介音已無辨義功能。然而，獨韻

[七] 《切韻指掌圖》“辨獨韻與開合韻例”，頁5~6，廣文書局。

[八] 《經史正音切韻指南》，頁7，載《等韻五種》，藝文印書館。

之間，仍有開合口的分別。合口的獨韻，其主元音爲 [u]；主元音不是[u]的獨韻則爲開口獨韻。李榮《切韻音系》說：

> 開合韻的開合跟獨韻的開合在性質上是不同的，高本漢漠視這種區別，根據《切韻指南》開合構擬《切韻》音系的開合，開口無[u](或[w])介音，合口有[u](或[w])介音或拿[u]做主要元音。假定是開合韻的開合口，或者是獨韻的開口，都沒有問題，假定是獨韻的合口，他的辨法就有問題了。"通"、"遇"兩攝是獨韻的合口，沒有它相配的開口，所以他們的合口介音不能分辨字，就高本漢構擬古音的方法說，"通"、"遇"兩攝的主要元音是根據方言定的，"通"、"遇"兩攝的[u](或[w]）介音是根據《指南》寫的。如果我們區別開合韻的合口跟獨韻中的合口當中的差別，認為開合韻合口的元音是[uv]，跟相當的開口[v]對立。獨韻的合口不是[uv]而是[v]，不過這個[v]可能是[u]，或其他圓脣度較高的元音，這樣子"通"、"遇"攝的[u](或[w])介音可以取消[九]。

總之，獨韻的合口與開合合韻的合口，分別在前者的[u]是主元音，後者的[u]是介音。

本書獨韻的範圍，亦較韻圖爲廣。凡無開合對立的韻，皆視爲獨韻。如"江"、"之"兩韻，《切韻指掌圖》分別置於合口、開口圖中，本書悉視爲獨韻。但"嚴"、"凡"兩韻不從《指掌圖》定爲獨韻，因爲《韻鏡》把它們分置於開合口圖之故。

[九] 李榮《切韻音系》。

＜乙＞　合韻與分韻合口性質的分別

高本漢以爲合韻的合口爲弱合口[w]，分韻的合口爲強合口[u]。高氏根據《廣韻》，說一等韻開口與合口不同韻，所以一等的合口全部是強合口[十]。然而《切韻》一等“寒”、“歌”，開合不分韻，照高氏原則，應爲弱合口，高氏相信《廣韻》即《切韻》，疏誤自不能避免。因此，中國學者多否定其強弱合口的說法。李榮《切韻音系》說：

> 高本漢的[u]介音跟[w]介音又不是辨字的區別，他自己也說：“《切韻》每韻正常只有一種合口”。原注云：“我構擬的《切韻》音系只有一個例外；我在音韻學中構擬的尹[jiuen]：隕[jiwen]（以解釋不同韻）實在是我的系統中一大弱點。這是不可能的。要重新考慮”。高本漢分[u]、[w]的理由不可信，並且這種分別又不是辨字的，我們可以給改成一個符號。本來[u]跟[w]是一樣，不過[u]又可以當主要元立音，又可以當介音用。[w]當主要元音用不便，所以我們老用[u]寫《切韻》開合韻合口介音[十一]。

李榮以爲[u]、[w]，不能辨字，所以合二爲一。又以[u]比[w]於運用上較爲便當，所以不論合韻與分韻的合口，一律用[u]表示。

[十] 見高本漢《中國音韻學研究》，頁 462~466。

[十一] 《切韻音系》，頁 133。

陸志韋亦主張廢去其中一個［u］介音。陸氏以爲較早的韻書，開合口並不偏向於分韻，拘執分韻與否，未免自尋煩惱。[u]與[w]又無音素差別，可以刪去其中一個。他主張一概用[w]，因爲二三四等不能用[u][十二]。

李榮、陸志韋的分析很有見地。但是，《切韻》又何以有“咍”與“灰”、“殷”與“文”、“痕”與“魂”等開合對立的韻類？若分韻的開合口與合韻的開合口性質無異，則何以分韻開合口的韻分立兩韻目，而合韻雖存開合兩呼，但只有一個韻目，如有“寒”而無“桓”？它們的分別既不是強弱合口，吾人以爲分韻的開合兩韻，主元音的音質應有不同；而合韻開合兩呼的主元音無異，只有[u]介音的存與否的差別而已。趙元任早有此看法，他引廣州話爲例說：

> 高本漢根據分韻和近代方言的演變，分別元音性的[u]介音跟輔音性的[w]介音。比方說：“剛”跟“光”都在“唐”韻，所以寫成[kâŋ]（>廣州[Kɔŋ]）跟[kwâŋ]（>廣州[kuɔŋ]）；“干”跟“官”分別見於“寒”韻跟“桓”韻，所以寫成[kân]（>[kɔn]）跟[kuân]（>kun）。可是分韻跟方言兩個理由都有困難。在《切韻》殘卷裏，分韻跟同韻的區別不一定存在。《廣韻》“戈”韻[uâ]的字《切韻》殘卷併入“歌”韻[â]。同樣的“桓”韻[uân]併入“寒”韻[ân]，“諄”韻[iuĕn]併入“真”韻[iĕn]。所以同韻不同韻不能再做“光”[kwâŋ]：“剛”[kâŋ]跟“官”[kuân]：“干”[kân]分別處置的理由。說到近代方言

[十二]陸志韋《古音說略》，頁24。

的演變，困難的是證明得太多。因為廣州“仙”[siän]跟“宣”[siwän]變成[sin]跟[syn]，正和“干”[kân]跟“官”[kuân]變成[kɔn]跟[kun]一樣。事實上，從“歌”韻分出“戈”韻可以認為是後來元音的變遷，完全跟從“仙”韻[sin]分出“宣”韻[syn]一樣，雖然前者比後者早。沒有別的證據，這兩條理由都不能證明《切韻》古音裏的區別[十三]。

《廣韻》時代“寒”韻分出“桓”韻；“歌”韻分出“戈”韻，可解釋爲元音的變遷。如此類推，《切韻》“咍”“灰”、“殷”“文”、“魂”“痕”開合分立，當視爲主元音的音質不同。這種差別亦可證之於梵文譯音。《唐初中原方音》一文指出玄奘譯經，以“文”、“魂”韻字對梵文[un]，而以“殷”韻字對[in]；“痕”韻字對[on]。《周隋長安方音初探》一文說經師以“痕”韻字對[ən]，“魂”韻字對[un]；“殷”韻字對[in]，而“文”韻字對[un]，由此可知“痕”“魂”、“殷”“文”不僅在現代方言中，主元音有異，即使唐代以前，在長安與洛陽方言中，這種分別亦甚明顯。

小結：分韻合口與合韻合口無強弱[u] [w]介音的分別。合口介音只有一種，寫作[u]。合韻開合口的分別在於[u]介音之有無；分韻開合口之分別，除了有無[u]介音外，它們主元音的音質亦有些差異。

[十三] 趙元任 Distinction and Non-Distinction in Ancient Chinese. Harvard Journal of Asiatic Study.第五卷第四分合刊頁203~233(1941)。見《切韻音系》,頁133。

<丙> 唇音字的性質

《切韻》反切下字開合口的系聯情況（這裏並不涉及偶失系聯或重紐的情況），並不與韻圖開合分配完全一致。有些韻在韻圖中分隸開合兩圖，而反切系聯只得一類，如“支”、“佳”、“陽”、“梗”等韻。有些字反切與開口系聯，但韻圖卻置之於合口圖，如“寒”韻“瞞”字在合口圖，但切語“武安”反的“安”字與開口系聯。又有反切與合口系聯而韻圖置之於開口圖中，如“唐”韻“傍”字在開口圖，而切語“步光”反的“光”字與合口系聯。陳澧認爲這是切語“偶疏”[十四]所致。竊以爲法言審訂切語時，應有一定原則，不會如此疏忽。爲研究這個問題，先列出所有與韻圖不一致的反切如下：

（一） 非唇音字開口切合口[十五]

韻 (韻圖合口)	支	眞	至	霰	勁	馬	昔	泰	青	迥		徑	佳
例字	爲	僞	位	縣	敻	觰	役	會	熒	迥	泂	熒	媧
反切	薳支	危賜	洧冀	黃練	虛政	都下	營隻	黃帶	胡丁	戶鼎	古鼎	胡定	姑柴
下字系聯	開口	開口	開口	開口	開口	開口	開口	開口	開口	開口	開口	開口	開口

[十四] 陳澧《切韻考》。

[十五] 若反切下字只系聯爲一類，則只就切語而無從定其開合，因此這裏所謂的開口合口，悉以其所處在韻圖之開合而定。

（二） 非唇音字合口切開口

韻（韻圖開口）	字例	反切	下字系聯
淸	騂	息營	合口

（三） 唇合口切開口字

韻(開口圖)	願	旱	末	潸						卦		
字例	建	旱	[illegible]	潸	虥	[illegible]	酢	赧	[illegible]	[illegible]	債	膪
反切	居万	何滿	姊末	數板	士板	初板	側板	奴板	五板	女賣	側賣	竹賣
下字系聯	合口	合口	合口	合口	合口	合口	合口	合口	合口	合口	合口	合口

韻(開口圖)	卦	黠						翰		沒	怪	夬	廢
字例	曬	札	[illegible]	殺	𧦝	倄	黠	漢	炭	麧	誡	芥	刈
反切	所賣	側八	初八	所八	恪八	呼八	胡八	呼半	他半	下沒	古拜	古邁	魚肺
下字系聯	合口	合口	合口	合口	合口	合口	合口	合口	合口	合口	合口	合口	合口

（四）脣開口切合口字

韻(合口圖)	諍	襉		末	獮	紙	寘	脂	旨	庚		軫
字例	轟	幻	鱞	末	撰	跬	恚	帷	洧	横	榮	殞
反切	呼迸	胡辨	古盼	莫割	士免	去弭	於避	洧悲	榮美	胡盲	永兵	于閔
下字系聯	開口	開口	開口	開口	開口	開口	開口	開口	開口	開口	開口	開口

韻(合口圖)	線	梗		陽	敬		陌					麥
字例	饌	礦	永	王	蝗	詠	謋	嚄	虢	嚄	韄	獲
反切	士變	古猛	榮昺	雨方	戶孟	爲柄	虎伯	胡伯	古陌	于陌	乙百	胡麥
下字系聯	開口	開口	開口	開口	開口	開口	開口	開口	開口	開口	開口	開口

韻(合口圖)	麥	禡	漾				養		藥			
字例	騞	化	廷	況	狂	誑	往	怳	玃	矆	嬳	籰
反切	呼麥	霍霸	于放	許妨	渠放	九忘	王兩	許昉	居縛	許縛	憂縛	王縛
下字系聯	開口	開口	開口	開口	開口	開口	開口	開口	開口	開口	開口	開口

（五）合口字切脣開口

韻(開口圖)	先	庚	支			迥			藥	唐	宕
字例	邊	兵	陂	縻	彼	頩	竝	茗	縛	傍	謗
反切	布玄	甫榮	彼爲	靡爲	甫委	匹迥	萍迥	莫迥	符玃	步光	補曠
下字系聯	合口	合口	合口	合口	合口	合口	合口	合口	合口	合口	合口

韻(開口圖)	麥	梗		質	線
字例	麥	丙	皿	弼	變
反切	莫獲	兵永	武永	房律	彼眷
下字系聯	合口	合口	合口	合口	合口

（六）開口字切脣合口

韻(合口圖)	寒	旱		歌		怪	諫	卦	箇	哿		
字例	瞞	伴	滿	波	頗	憊	慢	賣	磨	叵	爸	麼
反切	武安	薄旱	莫旱	博河	滂河	蒲界	莫晏	莫懈	暮箇	普可	蒲可	莫可
下字系聯	開口	開口	開口	開口	開口	開口	開口	開口	開口	開口	開口	開口

上六表所列開合混切字，除一、二類外，餘四類均與唇音字有關。一、二類混切情況，經近代學者研究，已發現其中規律：所切字爲合口，不能從開口的切下字求之，而應根據切語上字定其開合。具體而言，切語上字爲合口或爲“遇”攝韻字，如：苦、胡、虛、古、戶等，即使切下字爲開口字，被切字仍須讀爲合口。反之，亦是。龍宇純認爲被切字與切上字固爲雙聲疊韻字，切下字的功用，在於改易聲調，或又兼改陰陽[十六]。無論如何，這類被切字由切語上字定開合，已是公認的事實。

餘下四類字，開合混切，則涉及唇音字性質問題。高本漢認爲《切韻》唇音[p]乃噘嘴而讀，寫作[pʷ]，所以[pʷ]後的韻母不免帶有合口色彩，而與眞合口字於聽感上每相混淆，[pʷ a] ：[pʷ ua]。因此，韻圖作者把此類唇音字有時算作開口，有時算作合口，亦不足爲怪[十七]。周祖謨卻認爲“唇音合口[u]介音受唇音聲母之影響，其合口之性質即不若牙音舌音之顯著。古人以唇音合口切牙音喉音開口，或唇音開口切牙喉音合口，雖不合反切之理，然於實際語音相差不遠”[十八]。周祖謨與高本漢的立論點剛剛相反：周氏以爲唇音[p]使合口[u]介音的音色不顯著；而高氏則認爲噘嘴的 [pʷ]使韻母帶有合口色彩。雖然如此，但二人同樣覺得唇音後的開合口於聽感上非常相近，以致審音時不容易準確分辨。

但從音位學的理論而言，無論兩個音素的音色如何相似，只

[十六] 龍宇純《例外反切的研究》"憑上字定韻母開合",中央研究院《歷史語言研究所集刊》 36 本(1965 年),頁 344~354 。

[十七] 高本漢《中國音韻學研究》,頁 42~43 。

[十八] 周祖謨《陳澧切韻考辨誤》,載《問學集》下冊,頁 517~580 。

要它們辨義，操本土語者必能察覺。何況《切韻》的編者，個個精通音韻，豈有普通人能辨的音，法言等九人不能分辨？竊以爲脣音不分開合，原因是脣音字沒有對立的開合口。李榮早已提出這個論點，但當他討論"咍""灰"二韻時，發現其中有對立的小韻，雖然他一一指出這些對立小韻不可靠，然而也承認不能走出"咍""灰"脣音字對立的困難[十九]。本人認爲"咍""灰"並非開合口對立的韻，因爲它們有不同的主元音（它們是分韻類，見本章本節<甲>部），而擔負起辨義責任的音位是主元音而非[u]介音，所以李榮的疑慮是不必要的。總之，脣音字不分開合口，脣音字的[u]介音應予以取消。就因爲脣音字沒有開合口之分，它才可以切開口字（表三）、合口字（表四）；相反，合口字（表五）或開口字（表六）同樣可以切脣音字。

第二節　一二等重韻

高本漢以"山"攝爲研究起點，假設一等韻的主元音是深[ɑ]；二等韻的主元音是淺[a]。現代方言可證高氏的設想不誤。大體而言，一二等韻的分別在於主元音發音部位前後的不同狀況。一等韻的主元音發音部位靠後，而二等韻的主元音發音部位偏前。

一二等韻又有重韻問題。所謂一二等重韻，即在同攝同等的情況中，同時出現（非開合對立）兩個或三個韻類。一等重韻有：

[十九] 李榮《切韻音系》，頁 135~136 。

"通"攝——東董送屋：冬O宋燭

"蟹"攝——咍海代O：O O 泰O

"咸"攝——覃感勘合：談敢闞盍

二等重韻有：

"蟹"攝——皆駭怪O：佳蟹卦O：O O 夬O

"咸"攝——咸豏陷洽：銜檻鑑狎

"山"攝——山產襇鎋：刪潸諫黠

"梗"攝——庚₂梗敬陌：耕耿諍麥

高本漢認為"通"攝"東"、"冬"等韻；"梗"攝"庚"、"耕"等韻屬於主元音音色不同。其餘重韻兩類的分別，則在於元音的長短不同而已。高氏以"蟹"攝為討論起點，分別列舉高麗音和現代方音作為佐證。先引錄他以高麗音為證的一段話：

> 在現代高麗語讀音所有"蟹"攝開口一二等的字一律用ɛ收音，可是高麗文拼法卻保存更古的一個階段。現代的ɛ來自兩個古代分別的複合元音ai 跟 ăi，我們現在得要指明一件很重要事實，就是在一等裏 *a* 韻（咍海代灰賄隊）的元音用 ăi，*b* 韻（泰）的元音用ai，分得很嚴格的。……在二等裏也是類似的情形。*a* 韻（皆駭怪）的字最常用 ăi 或*iei*（現代讀*ie*）來代表，*b* 韻（佳蟹卦）字普通用ai 或 a 來代表。高麗譯音這個分別既然跟中國古代音類如此的切合，那麼我們就可以說無疑的在 *a* 韻裏是短 a，在 *b* 類韻裏是長 a:【二十】。

【二十】高本漢《中國音韻學研究》，頁 478~479。

又以方音為證，他說：

> 這個構定在幾個現代方言裏有些有趣的佐證。好多官話方言對於二等的讀法給我們些可貴的指示。在開口古音 a（皆等）後頭的 *i* 保存的很多；所有 *a* 韻字（皆階諧齊豺排埋楷駭挨屆戒界芥介誡械）現在讀法是 *i* a*i* 、a*i* ，有的甚至變到 *i* ε*i* *i* ε 、ε 。.......但是在古音長 a（佳等）後頭，失落 *i* 的傾向很強；所以有些字雖跟 *a* 韻讀法一樣而有些字就用 *i* a、a 來收尾[二十一]。（案：長元音易使韻尾〔*i*〕音失掉。）

高氏這個長短元音理論，備受批評，有人指出他的兩個證據不符事實。陸志韋《古音說略》說：

> 我所不了解的，高氏何以知道高麗語的中古主元音，雖然現在西洋人把他們寫作 a 跟 ă，他們果然是兩個完全同音色而只是不同長短的音呢？更何以得肯定所譯的中國音也非作一長一短不可呢？未免有點食古不化罷！

邵榮芬查過《訓民正音解例》，指出高麗譯音中此兩種分別在於音色的不同，而非元音長短的差異。邵氏說：

> 朝鮮漢字音“咍”、“皆”等韻的主元音用諺文字母“•”和“ㅏ”的區別並不是長短的區別。朝鮮鄭麟趾等人的《訓民

[二十一] 同前註。

> 正音解例》（一四四六年）對“•”、“ㅣ•”的區別有非常明確說明。該書“制字解”說：“•”與“ㅣ•”同而口張。既然區別在于開口度的大小，當然是音色的不同，而不是長短不同了[二十二]。

高麗譯音不但不能作爲高本漢長短元音理論的根證，反而否定了他的說法，至於他第二個佐證——方音，也是靠不住的。董同龢《漢語音韻學》說：

> 最近我們發現他（案：指高本漢）所用的線索都是靠不住的，並且另據下列兩項事實：
>
> （一）在蘇州話與廣州話中，“泰”韻字與“咍”韻字大體上還能分；前者蘇州為 *a*，廣州話 a *i*；後者蘇州為 *e*，廣州為 *o i*。
>
> （二）“覃”“談”兩韻的舌頭音與齒頭音字，吳語方言中還有不少能分的，例如蘇州前者為θ，後者為 *e*；諸暨前者為ɣ，後者為 æ。

高本漢以偏概全，論證有欠充份，甚或乖離事實，得出結論，可無謬誤？。一二等重韻的分別，應是主元音音質的不同，除了上述高麗譯音和中土方音可以爲證外，它們來自上古不同的元音也是一個很重要的證據[二十三]：

[二十二] 邵榮芬《切韻研究》，頁 127~128。

[二十三] 董同龢《上古音韻表稿》，中研院《史語所集刊》 18 本，頁 1~249。

咍[ə]：泰[ɑ]
覃[ə, A]：談[ɑ]
皆[ə,e]：佳[e]：夬[a]
咸[ə , ɐ]：銜[a]
山[æ]：刪[a]
庚[ă]：耕[ə]

至於這兩類韻的主元音有什麼不同，下文“《切韻》韻母音值的擬測”一節會詳加討論。

第三節　三四等韻綜合研究

<甲>　三等、四等韻的分類

所謂三、四等韻，包括在韻圖上只出現在三等、只出現在四等和同時出現在二三四等的韻類。高本漢分別稱爲β、γ、α 類韻，高氏解釋α 類韻說：

有些韻在 j 化聲母後頭（三等）跟在純聲母（四等）的後頭一樣的可以出現。可是有一種有一定規則的限制。只有一個“喻”母（沒有口部或喉部輔音的聲母）在這些韻裏 j 化的跟純粹的兩樣都見，其餘的見、知、泥、非幾系一定是 j 化的，端系聲母一定是純粹的。這些韻是不管什麼樣的聲母都可以有的[二十四]。

案高氏的“見”系包括“見”“溪”“群”“疑”“曉”“匣”“影”“喻”；“知”系包括“知”“徹”“澄”“照”“穿”“牀”“審”“禪”“日”；“泥”系包括“泥”“娘”“來”；“端”系包括“端”“透”“定”“精”“清”“從”“心”“邪”；“非”系包括“非”“敷”“並”“明”。聲母的 j 化已於前一章證明不符合《切韻》事實。“喻三”又歸入“匣”母，所以“喻”母只是四等聲母。明白了這些事實，我們把高氏的α類韻與聲母（本書所構擬的聲母）重新配合如下：

等	聲紐
二等	莊組紐
三等	幫組、知組、照組、影紐、曉紐、匣紐
四等	精組、喻紐

由於α類韻在韻圖上出現在二三四等地位，所以稱爲二三四等合韻，或逕稱爲三四等合韻。它包括李榮的丑類韻和寅類韻。李榮的丑類韻是三四等合韻的非重紐類韻，計有“麻三”“陽”“蒸”“清”“東三”“鍾”“魚”“虞”“尤”“幽”等韻（舉平該上去入，下同）；寅類韻指三四等合韻的重紐類韻，計有：“支”“脂”“祭”“侵”“眞”“臻”“宵”“鹽”“仙”等韻。本書稍有變動，把高氏、李氏列爲純三等韻的“庚”韻歸入此類中之非重紐類，而“淸”韻則改入重紐類（詳下文）。第二類β韻

[二十四] 高本漢《中國音韻學研究》，頁 471~472。

指哪些韻？高氏解釋說：

> 另外有些韻只有 j 化的聲母（三等）。這些韻在開口類只有見系聲母；在合口類只有見非兩系聲母。所以完全沒有知泥端三系聲母，開口也沒有非系聲母【二十五】。

案李榮稱這類韻爲子類韻，包括"微""廢""殷""元""文""庚三""嚴""凡"等韻。因它們全列於韻圖三等地位，所以稱爲純三等韻。本書除"庚三"已改入三四等合韻外，餘皆同此。

第三類γ韻即純四等韻，高氏說：

> 第三類的韻只有純聲母（四等）。所以除去知系聲母外，各系聲母都有【二十六】。

案：李榮稱這類韻爲四等韻，包括"齊""添""先""青""蕭"等韻。因它們只列在韻圖四等地位，所以稱爲純四等韻。

<乙> 高本漢α、β、γ類韻的性質

我們先看高本漢怎樣分析這三類韻。高氏再次乞求於高麗譯音，以"山""咸"攝見系（即喉牙音）聲母字的高麗對音爲例，綜論三者的分別。這些例字分屬α、β、γ類韻，它們的高麗對音列明如下：

【二十五】同前註。

【二十六】同前註。

	山攝											咸攝			
γ韻	肩	研	弦	見	硯	衒			玄				兼	嫌	歉
	堅		絃			縣			懸				謙		
	牽		賢												
	縴														
	kian	iən	hiən	kiən	iən	hiən			hiən				hiəm	hiəm	kiəm
β韻	言	掀		建	憲		元	諠		卷	愿	嚴		檢	欠
					獻		原	喧		勸					
							源								
	ən	hən		kən	hən		uən	hən		kuən	uən	əm		kəm	kəm
α韻	愆			件	諺		權		捲	眷			儉	險	驗
	虔								圈	卷					
										倦					
	kən			kən	ən		kuən		kuən	kuən			kəm	həm	həm

高氏一早肯定三、四等韻一律有[i]介音[二十七]。他又發現γ類韻在

[二十七] 《中國音韻學研究》,頁 44~47。案:高氏三等聲母具 i 介音符合事實,然謂四等聲母亦具 i 介音,則論辯有乖邏輯。高氏:"四等跟三等同用一套的反切上字作切語,所以眞韻母相同,都有 i 介音的。"(頁 45)四等跟三等用同一套切下字,只適合三四等合韻類,三四等合韻是三等韻,不過它在韻圖上分列於二三四等中,在這四等裏的字,固然有 i 介音。但純四等韻與三等韻不同,若因三等韻的四等字有 i 介音,而推論純四等韻亦有 i 介音,則欠說服力。

高麗譯音中都有介音[i]，而α、β兩類則沒有，因此斷定γ類韻的顎介音[i]較強而且靠前，α、β韻的顎介音[i]較弱，所以容易失掉。爲配合三等聲母[j]化說，高氏更進一步確定α韻的顎介音爲輔音性的[ĭ]，在[ĭ]前的聲母[j]化（只有[ts]、[tʂ]等聲母從不[j]化）。至於β類韻的性質，高氏初時求之於顎介音強度的區別，但後來發現顎介音除元音性[i]和輔音性[ĭ]兩種外，別無他種，所以轉從主元音的音質求β類韻的區別。最後決定β類韻是一低中元音，其顎介音與α類韻一樣同爲輔音性的[ĭ]。以“元”韻爲例，其韻母應是[ĭɐn]，理由如下：

（一）日譯漢音對譯“元”韻字，逢舌根或喉音聲母，均作[en]，逢唇音聲母，或作[en]或作[an]。高麗譯音對前者聲母，作[ən]（即古高麗文[ɛn]），後者或作[ən]，或作[an]。漢音與高麗譯音遊移於[e]和[a]之間，可推想這類韻的主元音音色必定在這兩者之間。

（二）漢音高麗譯音對譯“元”（[e、ɛ]）、“痕”（[ə]）韻的字，顯著不同，可見兩者的主元音音色有很大的分別。“元”韻的主元音比“痕”韻要接近[ɛ]些，因爲α類仙韻[ĭɛn]的高麗音及日譯漢音都與β類“元”韻譯法相同。可見β類韻主元音接近[ɛ]音。

（三）“元”韻又接近央元音[ə]，因韻表中，“元”韻近於“魂”、“痕”兩韻。由此高氏得出結論爲：

山攝		
α	β	γ
仙韻	元韻	先韻

kjɪɛn　　kjɪɐn　　kien

kjɪʷɛn　　kjɪʷɐn　　kiʷen[二十八]

本書接受高氏β類韻的主元音是偏央稍低的主張，其餘兩類韻α、γ，則須再討論。

第四節　純四等韻的眞相

高本漢認爲純四等韻有強、前顎介[i]音，其理由不外下列三點：

（一）四等與三等同用一套反切下字，所以眞韻母相同，三等既有[i]介音，四等亦應有[i]介音。（案：高氏後來改三等韻顎介音爲輔音性的[ɪ]，前文已述及。）

（二）高麗譯音有[i]介音。

（三）現代方音大都有[i]介音。

高本漢的論據，除第三個尚屬事實外，其他均乖謬不確。四等與三等同用一套反切下字，只是三四等合韻韻類的情況。三四等合韻的韻類，本身是三等韻，在韻圖中雖然分列於二三四等位置，但反切下字仍可系聯爲一類。純四等韻與三四等合韻（三等韻）是性質完全不同的韻類，純四等韻的反切下字與三四等合韻的反切下字絕不能有任何關係。我們不能因純四等韻列在韻圖四等地位，和三四等合韻的四等有著同樣的地位而說純四等韻也有

[二十八]《中國音韻學研究》，頁 473~476 。

[i]介音。相反，純四等韻的反切上字不與具有[i]介音的三等韻切上同組，反與無[i]介音的一二等韻切上字同組，可見其偏向無[i]介音。

其實高本漢援引“山”“咸”攝的高麗譯音，以證明其[i]介音理論，亦有漏洞。李榮根據高氏原文小註，指出α韻有三字亦具[i]介音，而不爲高氏所理會的“影”“喻”兩母，在α韻中又出現不少[i]介音[二十九]。高氏如此疏忽，影響他的系統的可信性。

查高氏“方言字彙”純四等韻字，發現大部分日譯吳音、漢音，都沒有[i]介音。它們是：

添韻	兼	謙	嫌	念	點	添	甜
漢音	ken	ken	ken	den	ten	ten	ten
吳音	ken	ken	gen	nen	ten	ten	den

齊　韻	繼	啓	詣	奚	縊	泥	禮	帝	體	題	第	濟	妻	齊	西
漢　音	kei	kei	kei	kei	ei	dei	rei	tei	tei	tei	tei	sei	sei	sei	sei
吳　音	kai	kai	ai	gai	ai	nai	rai	tai	tai	dai	dai	sai	sai	zai	sai

先韻	肩	牽	研	顯	賢	煙	年	練	顛	天	田	電	箋	千	前	先
漢音	ken	ken	gen	ken	ken	en	den	ren	ten	ten	ten	ten	sen	sen	sen	sen
吳音	ken	ken	gen	gen	ken	en	nen	ren	ten	ten	den	den	sen	sen	zen	sen

[二十九] 李榮《切韻音系》,頁 111~112 。

蕭韻	叫	竅	堯	曉	尿	聊	刁	挑	調	掉	消	漂
漢音	kio:	kio:	gio:	kio:	dʑo:	rio:	tɕɑ:	tɕɑ:	tɕɑ:	tɕɑ:	ɕɑ:	hio:
吳音	kio:	kio:	gio:	kio:	nio:	rio:	tɕɑ:	tɕɑ:	dʑo:	dʑo:	ɕɑ:	hio:
* 日本 io:(o:)應作 -eu 。												

青韻	經	磬	形	寧	靈	頂	聽	亭	定	青	星	瓶	銘
漢音	kei	kei	kei	dei	rei	tei	tei	tei	tei	tei	sei	bei	bei
吳音	kio:	kio:	io:		rio:	tɕɑ:	tɕɑ:	dʑo:	dʑo:	ɕɑ:	ɕɑ:	bio:	mio:

這五類韻的譯音，悉無[i]介音。我們雖然不能因此把這些譯音作爲純四等韻無[i]介音的必然因素，因爲三四等合韻中亦有數韻字在漢音和吳音中全無[i]介音，但至少高氏純四等韻具強[i]介音的理論，應要重新考慮。

李榮與邵榮芬曾引用梵文對音，證明自法顯（617年）至善無畏、地婆訶羅（685年）均以純四等韻字（主要是齊韻字），對譯佛經梵文e音[三十]。這樣看來，純四等韻無[i]介音似乎較合理。

但是，仍有一問題須待解決：何以四等韻字在現代大多數方言中產生[i]介音？而且在後期韻圖中這類字已混入相配的三等韻內，如《四聲等子》"先"併入"仙"、"蕭"併入"宵"等，玄應《一切經音義》的反切下字亦有同樣的傾向。可見純四等韻

[三十]李榮《切韻音系》，頁111~115及邵榮芬《切韻研究》，頁124~127。

與三等韻合併，是比較早的事。三等韻既有[i]介音，純四等韻與之合併時，亦應出現[i]介音。要是在《切韻》時代純四等韻無[i]介音，何以後來又產生出來？ 所以有人設想純四等韻的主元音爲長[iː]音而與之相配的三等韻："仙" "宵" "清" "鹽" "祭"等有較短的[ɪ]介音。長元音[iː]往往能產生過渡音，所產生的過渡音各韻未必相同，如柳江僮話[kiː^{ə}u]（轎）、[ʔ diː^{ə}u]（醒），[ə]爲過渡音。過渡音可發展爲主元音，如廣西僮話"蚊帳"一詞，鳳山讀 [liː^{e}p]，[e]爲過渡音，到淩樂則讀[liap]，[a]已成爲主元音了【三十一】。此說既可解釋《四聲等子》、《切韻指掌圖》中三四等韻相併，又可說明現代方言[ie]、[iɛ]、[ia]的來源，似乎合情合理。但仔細推敲，若四等韻的主元音是[iː]，如何能對譯梵文 e ，若說譯經時純四等韻已出現了過渡音，則恐怕不大可能，因爲這種譯法遠自六世紀法顯時已經很流行了。

其次，純四等韻各有發展來源，如"齊"韻由上古"支"、"脂"、"質"等部演變而來。若"齊"韻韻母在《切韻》時爲窄[iː]音，其在上古的情況，則難以想像。若擬"齊"的上古元音亦爲窄[iː]音，到《切韻》時保持不變，此種推測完全缺乏歷史演變觀念；若擬爲[ie]，到《切韻》時脫掉[e]，唐宋後又因過渡而產生[e]音，這種變來變去的說法，亦缺乏邏輯。

竊以爲《切韻》純四等韻必無[i]介音，而它的主元音應如李榮所擬，是[e]音，這裏更舉三項事實，以證其說。

（一）現代閩方言純四等韻字仍讀作兩類：一類洪音，一類

【三十一】見馬學良、羅季光《切韻純四等韻的主元音》，載《中國語文》1962 年 12 月號。

細音。讀洪音的混同於相應的一二等韻字，如雕（"蕭"）、兜（"侯""尤"）福州讀tεu；條（"蕭"）、投（"侯""尤"）寧德讀tεu，在永安則讀與"肴"韻字混同。讀為細音的混同於帶[i]介音的三等韻中。閩方言有文白異讀，凡四等韻無[i]介音的屬於白讀，帶[i]介音的三是文讀，文讀是照韻書的反切，世代相傳，所以只是從中古以後的系統而來；而白讀的系統較為複雜，有上古的遺音，亦有中古的變音，總之白讀保持較古的音讀【三十二】。據此可知《切韻》時純四等韻並沒有[i]介音，[i]介音是後來產生的。

（二）在《唐初中原方音》一文中，玄奘以"先"韻、"添"韻字對譯梵文ya；"青"韻、"屑"韻字對譯e，"屑"韻字也對i音。"齊"韻字絕大部分對e，亦有對ai、i等。施向東解釋這種現象，並提出結論說：

> 看來四等韻的元音是*e*。因為*ya*和*ai*平化就成*e*，*e*的音色也較容易解為什麼能對*i*。梵文中"元音變換"的規則告訴我們在不同的重音形式下，元音按一定的規律變化：

原始形式	ă	ɪ	ŭ	ṛ	ḷ
重音形式	ɑ	e(>ɑi)	o(>ɑu)	ɑr	ɑl
強重音形式	ā	āi	āu	ār	āl

【三十二】李如龍《自閩方言證四等韻無i介音說》，載《音韻學研究》第一輯，頁414~428。

> *i*、*e*、*ai* 是同一元音在三種不同情況下的變換形式。日本悉曇家安然"悉曇十二例"第十一"伊翳難定例"說："諸梵語中伊翳通用......"，說的就是 *i* 伊和 *e* 翳間的互相變換。既然如此，則以 *e* 為元音的四等韻字音中出現 *i*、*a i* 等音就不足為奇了【三十三】。

（三）《周隋長安方音初探》作者尉遲治平在該書"蟹攝，止攝，蟹、效、咸、山、梗諸攝四等韻"一節中，討論四等對譯梵文字母的現象說：

> "蟹"、"效"、"咸"、"山"、"梗"諸攝四等字，除了對譯梵文的 *y a* 外，又可以對譯梵文的 *e*；"止"攝字也是既可對譯梵文的 *i*，又可對譯梵文的 *e*。這是因為梵文中 *i*、*e*、*a i* 三者常自由變讀——印度人稱之為元音替換——反映在梵漢對音上，就形成了"蟹"攝一二三等韻，"止"攝和"蟹"、"效"、"咸"、"山"、"梗"諸攝四等韻之間交叉現象【三十四】。

不過"止"攝（三等韻）對梵文 e 只佔少數，大部份"止"攝字只對 i 。而"蟹"攝四等字主要對 e ，不對 i ，它對音的傾向與"止"攝剛巧相反。其他各攝四等字除對 y a 外，亦可對 e ，但

【三十三】施向東《玄奘譯著中的梵漢對音和唐初中原方音》，載《語言研究》總四期，頁 36 。

【三十四】尉遲治平《周隋長安方音初探》載《語言研究》總三期，頁 25~26 。

不對 i 。可見譯經家大體以“止”攝字對梵文 i 音，而以純四等韻字對梵文 e 。因此，尉遲氏以[e]音描寫純四等韻的主元音。

從上述三個事實觀之，《切韻》純四等韻的主音應為[e]，因為首先有梵文對音為根據，再者，[e]若為弇細窄音，可解釋韻圖何以置之於四等地位。純四等韻本無[i]介音，唐宋以後[i]介音才產生出來。陸志韋以為這是由於倣效作用所致。即倣效鄰近的三等韻而產生出與之相同的[i]介音【三十五】。王靜如認為在倣效之前，應該經過元音分裂的過程【三十六】。其說正確否，則因資料缺乏而無從置論。茲把純四等韻的韻母改定為：

先 en　齊 ei　蕭 eu　青 eŋ　添 em

第五節　重紐的性質

所謂重紐，就是指同一個韻，開合口相同，反切上字又相系聯，但在韻圖置於不同等的兩組讀音不同的字。這兩組字只出現在韻圖的喉牙唇聲母下，一組置於三等，一組置於四等。習慣稱前者為B類，後者為A類。具有重紐的韻類有：“支”、“脂”、“祭”、“侵”、“鹽”、“仙”、“宵”、“眞”（“臻”）、“清”（舉平賅上去入）等九韻。九個韻都是三四等合韻類。高本漢沒有重視重紐，他以為伸展到韻圖四等的A類字是少數例外字，而且在《切韻》時它們的聲母與B類字的聲母都一樣 j 化，

【三十五】陸志韋《古音說略》,頁 6 。

【三十六】王靜如《論古漢語之顎介音》,載《燕京學報》 35 期,頁 56~58 。

後來失掉了 j ，變成純粹聲母，韻圖作者才把它們置於四等地位【三十七】。現代學者大多不相信高氏所說，因爲：一，A類字並不少；二，重紐A、B類字在《切韻》時代讀音顯著不同，所以《切韻》作者把它們分置不同小韻而著以異切；三，高氏 j 化說已被否定，所以A類聲母失掉 j 音而變爲純粹聲母的假設亦告落空。

總之，重紐問題非如高本漢所說那樣簡單，應重新討論。迄今爲止，研究重紐，大致有三種說法。茲先舉引其說，然後提出本人意見。

＜甲＞　反語因循舊迹，重紐兩類音讀無異

代表這一主張的學者有章太炎、黃季剛和陳新雄。章太炎《國故論衡·音理》說：

> 不悟《廣韻》所包，兼有古今方國之音，非並時同地有聲埶二百六種也。昧其因革，操繩削以求之，由是侏離，不可調達矣。《唐韻》分紐，本有不可執者，若五“質”韻中，一壹為於悉切，乙為於筆切，必以下二十七字為卑吉切，筆以下九字為鄙密切，蜜謐為彌畢切，密蔤為美畢切，悉分兩類紐。一“屋”韻中，育為余六切，囿為于六，分兩紐也。夫其開合未殊，而建類隔者，其違《切韻》所承《聲類》、《韻集》諸書，犖嶽不齊，未定一統故也。因是析之，其違于名實益遠矣。若以是為疑者，更舉五“支”韻中文字證之，嬀切居為，規切居隋，兩紐也；虧切去為，闚切去隋，兩紐也；

【三十七】《中國音韻學研究》，頁 471 小註。

> 奇切渠羈，歧切巨支，兩紐也；皮切符羈，陴切符支，兩紐也，是四類：嬀、虧、奇、皮古在歌韻，魏晉諸儒所反語宜有不同；及《唐韻》悉隸“支”部，反語尚猶因其遺跡，斯其證驗最著者也。

黃季剛《與人論治小學書》說：

> 《切韻》之成，當亦捜采舊音。故《經典釋文》所引音，其切語上下字，並與《切韻》同者，甚眾。舊有二音，而陸君驗為一，故合之一韻，而仍著其異切。著其異切者，明本有異；合之一韻者，明今實同。自非開合洪細有殊，雖三四切音，亦衹一音耳【三十八】。

陳新雄《廣韻韻類分析之管見》“註五”說：

> 隨句為切，虧去為切，闚去隨切可證虧闚原本同音也。關於重紐問題董同龢先生有《廣韻重紐試釋》一文以為係古音來源不同，此點余極同意，但仍認為在《廣韻》為同音較合理【三十九】。

歸納三人意見，可得下列三要點：

（一）《廣韻》（稱《切韻》無妨）兼包古今方國之音，故有音本同類而分兩組的現象。

【三十八】黃侃《論學雜著》"聲韻通例"附載，上海古籍出版社，頁 152 。

【三十九】陳新雄《鍥而不舍齋論學》，集頁 497~498 。

（二）《切韻》承襲《聲類》、《韻集》等以前韻書的切語，這種雜湊而成的切語，固難一統，是以《切韻》有些字既同韻，又同開合，但卻出現不相系聯的類隔切語。

（三）重紐兩類字來自不同古韻，《切韻》作者把它們合併在一韻中，以表示其讀音相同，著以異切，以表明其來源有異。

<乙>　重紐兩類，區別於主元音性質不同

主此說者，以董同龢、周法高爲代表。董同和《廣韻重紐試釋》把重紐分爲１、２兩類。１類包括所有舌齒音與圖置於四等之重出唇牙喉音；２類包括韻圖置於三等之唇牙喉音。他說：

> 從這許多現象可以歸納得一個一致的傾向，即 *1* 類字的音應當較近於純四等韻，*2* 類字應當較近於高本漢所謂β類三等韻（如“微”“元”“凡”諸韻）。依高氏的學說，純四等韻與β類三等韻的區別有兩點：一，介音的元音性與輔音性；二，主要元音關而緊與開而鬆（例如“先”韻是[ien][iwen]，“元”韻是[i ɐ n] [iw ɐ n]）。現在我們沒有什麼憑藉可以說“支”“脂”諸韻 *1* 與 *2* 兩類韻母的分別在介音方面，比如說“仙” *2* 是[ɪ ε n][ɪ w ε n]，“仙” *1* 是[i ε n][i w ε n]。反之就現在已有的上古音知識看，倒可以確定他們當是從上古不同的韻部來的。不過主元音分別究竟是開與關的關係呢還是鬆與緊呢？以上三項材料又都難以回答。慧琳反切與《韻會》是沒有音值可以參考的。高麗音又到底僅是譯音，而非《切韻》方言血屬，因此也只有音類判分的價值，很難據以確定音值。我又覺得單憑一個方言去推斷古語的讀法事

> 實上更不免危險。暫時，我只求在寫法上讓他們分開：使 *1* 類韻母儘可能保持高本漢原來的寫法，僅在必要時取消他的一些“⌣”號；*2* 類韻母則一律加一個“⌣”號以資區別。至於這個“⌣”號所代表的是元音的開還是元音鬆，又必待將來材料多了才能決定[四十]。

周法高《廣韻重紐的研究》說：

> 現在我們擬定β*1* 型（案：即重紐 *B* 類，董 *2* 類）音讀，究竟要採取元音，抑介音的區別呢？我們如果採取介音的區別，可以拿“喻”以紐和“喻”云紐做標準（注意 *A* 類無“喻”云紐，*B* 類無“喻”以紐的現象），如：沿[ｉ wɛn]，員[j wɛn]。但是在方言中也沒有什麼有利的根據，對於上古音的擬構，也要多添一套介音，對於高氏擬的β*2* 型（案即純三等韻）諸韻，也勢必要改得和 β*1* 的介音一樣，憑空的增加了許多麻煩。現在決定採取元音的分別[四十一]。

周法高與董同龢的結論不謀而合，而且他們分析問題的觀點，也頗一致：

（一）二人不考慮介音區別，因爲在現代方言中找不到根據。而且純四等韻已有元音性[i]介音，而三等韻亦有輔音性的[ɪ]介音，若再多添一套顎介音，勢必增加麻煩，導致混亂。

[四十]《史語所集刊》13 本(1948 年)頁 1~20。

[四十一]載周法高《中國語言學論文集》頁 1~70。

（二）二氏考慮元音性質的區別，因爲重紐兩類字來自上古不同的韻部。

至於兩類元音有何不同，董氏沒有論述，而周法高根據高本漢“方言字彙”、上古音及現代方音等材料，認爲B類元音較A類元音開，如“支”開口A爲[ie]，開口B遂爲[iɛ]，其他各韻的A B兩類的音值區別如下：

韻	脂	眞	仙	宵	侵	鹽
A	i	ɪ en	ɪ ɛn	ɪ ɛu	ɪ ĕ m	ɪ ɛm
B	I	ɪ ɛn	ɪ æn	ɪ æu	ɪ əm	ɪ æm

<丙>　重紐兩類，各具不同顎介音

持這個主張者，以陸志韋、王靜如、邵榮芬爲代表。陸王爲一個系統，邵氏的系統與陸王稍異，宜分述之。

（一）陸王系統

陸志韋認爲重紐兩類重出的原因不外：一，介音長短的不同；二，主要元音洪細有異。陸氏傾向前一個因素，因爲第二個原因“與《廣韻》同韻則同主要元音之說自是格格不入”【四十二】。到了王靜如，這種主張更爲肯定。他在《論古漢語之顎介音》中說：

此等重紐小韻，既為有系統之分立，其音必有小異，前已言

【四十二】陸志韋《三四等與所謂喻化》載《燕京學報》 26 期,頁 165~166 。

> 之。高氏以為同紐、同元音、同顎介音，固不能成立。然則不同之點，又將安在？吾人以為主元音之不同乎？則均在同韻同呼，而且其切下字可以互相繫連，知其決非主元音之別。吾人以為聲紐之異乎？則其反切上字或同、或互相連繫，均屬同紐，不應有別。既為同一主元音，又在同呼，更在同紐，則其分別，捨顎介音而外，將難得更合理之假定【四十三】。

兩類顎介音的分別如何?王靜如以爲重紐四等的顎介音爲強而顯的 i 音，其理由有二：1）趙宋之世純四等韻已由元音分裂而產生強而顯的顎介音（參見本章第四節），宋人韻圖既然將重紐甲類（A類）字排在四等中，它們自應有如純四等韻強而顯的顎介音。2）在《切韻指掌圖》、《四聲等子》中，"先"與"仙"，"青"與"清"，"齊"與"祭"，"蕭"與"宵"，"添"與"鹽"同歸一韻，其主元音自當相同。但四等之"先""青""齊""蕭""添"諸韻僅與"仙""清""祭""宵""鹽"的甲組排入同列，它們應有相同的顎介音。相反，重紐三等（B類）顎介音應爲弱而暗的[ɪ]（案王氏曾寫作[ı]），由於這類字排在三等的緣故【四十四】。

王氏所說的第一種顎介音是較前、較閉、音彩較明顯而且較強的顎介音；他的第二種顎介音是舌位較後、口不太閉而且音彩

【四十三】載《燕京學報》 35 期,頁 61 。

【四十四】王靜如《論古漢語之顎介音》載《燕京學報》 35 期,頁 61~62 。

較弱的[ɪ][四十五]。陸志韋最初在《三四等與所謂喻化》一文中說重出（三等喉牙唇音及其相配的齒舌音）的介音較短；而全韻（四等喉牙唇音及其相配的齒音）的介音較長。其後在《古音說略》則採用王氏兩套顎介音的寫法。

陸王的顎介音系統，尚有兩方面要說明：一爲兩種顎介音與聲母的分配情況；二爲重紐兩類的聲母性質。

關於第一個問題，陸志韋有詳盡的闡述。他說：

> 三四等合韻裏的喉牙唇三等字的介音作I，四等作 *i* ，其他各聲母之下應當聯上I還是 *i* 呢？憑切下字的聯繫，“照”“穿”“床”“審”“禪”“日”“喻四”“清”“精”“從”“心”“邪”實在是跟喉牙唇四等同類的。應當聯上 *i* 。“喻三”當然屬於三等類，惟獨等韻所謂“匣四”屬於四等類。“照二”“知”等母可以稱為二等。按照上文頁 *13* 以下的擬音（案：“照二”系擬作tʃ類，“知”系擬作ȶ類），他們應當聯上I才合適。憑切下字的聯繫，他們確是跟喉牙唇三等同韻。《廣韻》的“照二”等字開合口亂雜，很像唇音三等；“知”等也有點亂雜。“來”母在《五音集韻》差不多全屬三等。他在《切韻》屬於“知”“照二”之類，不屬於“照三”之類[四十六]。

簡言之，重紐三等喉牙唇音通“照二”（即“莊”組）、舌上音

[四十五] 同前註。

[四十六] 陸志韋《古音說略》，頁28。

及“來”紐；重紐四等喉牙唇音通“照三”、齒頭及“日”紐。

關於第二個問題，王靜如討論結果大致爲：唇音重紐四等爲平唇 p，三等爲喔口 p^w，送氣寫作 $p^{w'}$。牙音及“曉”“匣”二紐的重三等爲唇化聲母，寫作 k^w、x^w、$ɣ^w$；四等爲普通喉牙音【四十七】。茲把陸王顎介音系統簡列成表，以淸眉目（設 a 爲韻母的主元音）：

聲紐		幫	見	知	照二	照三	精
開	三等	pʷɪa	kʷɪa	ʈɪa	tʃɪa		
口	四等	pia	kia			tɕia	tsia
合	三等	pʷɪwa	kʷɪwa	ʈɪwa	tʃɪwa		
口	四等	piwa	kiwa			tɕiwa	tsiwa

聲紐		影	曉	匣三	喻四	來	日
開	三等	ɪa	xʷɪa	ɣʷɪa		lɪa	
口	四等	ia	xia		jia		ȵʑia
合	三等	ɪa	xʷɪwa	ɣʷɪwa		lɪwa	
口	四等	iwa	xiwa		jiwa		ȵʑiwa

（三）邵榮芬系統

他的系統須從兩方面來闡述：A）重紐三四等喉牙唇與舌齒音的相配；B）重紐兩類顎介音的區別。分述如下：

【四十七】王靜如《論開合口》,載《燕京學報》29 期,頁 143~192。

邵榮芬既反對董同龢、周法高以重紐四等喉牙唇音配舌齒音爲一組，而以三等喉牙唇音爲另一組；也不贊成陸志韋以重紐三等喉牙唇音通“照二”、舌上音和“來”母，而以重紐四等喉牙唇音通“照三”、“精”組母、“日”母【四十八】。他主張把重紐三等的喉牙唇音（甲組）配舌齒音（丙組），而四等的喉牙唇音自成一類（乙組），理由是：1）《韻會舉要》“支”“脂”“眞”“鹽”諸韻都是甲丙同組而乙獨立爲一組。2）現代東南一帶方言亦有許多甲丙同組而乙獨立的例子。3）照此劃分，重紐甲丙類即等於一般五音俱足的三等韻（邵稱之爲三B類韻，即非重紐類的三四等合韻），而乙類只有十母，韻圖全放在四等。這樣，重紐兩類在韻圖上的分佈井然有序，界限分明，較董說或陸說簡明合理【四十九】。

第二方面，邵榮芬認爲重紐兩類的分別在於顎介音之不同。理由有三：（1）重紐兩類若看作是主元音的不同，則破壞《切韻》一韻一主元音的原則。（2）梵文對音看不出漢語韻母元音有長短的分別，所以也不能考慮重紐的分別在於主元音的長短。（3）由於1和2都不足爲據，因此不得不轉向介音說【五十】。

邵氏認爲重紐三等類（稱爲三C，包括重紐三等喉牙唇音加舌齒音）與重紐四等類（稱三D，重紐四等之喉牙唇音）只有介音的分別，而不是像王靜如說也有聲母的不同。三C組的介音又不是像陸志韋說因聲母而分爲兩種（案：陸氏重三等的聲母配合

【四十八】邵榮芬《切韻研究》,頁 70~78。

【四十九】邵榮芬《切韻研究》,頁 78~80。

【五十】同前註,頁 123。

跟邵氏不同。邵氏的三C類，陸氏分作兩組：一爲重三喉牙唇音，配“知”組、“照二”及“來”組；一爲與重四喉牙唇音相配的“照三”、“精”組及“日”組。前一組的介音爲[ɪ]，後一組的介音是[i]，見前述），而是在各聲母下它都一樣。重紐三等類的介音邵氏寫作[i]，其性質與王陸的[ɪ]相若；重紐四等類的介音他則寫爲[j]，它不表顎化，與重三介音的區別在於舌位略高略前而已【五十一】。

<丁>　本人意見

上述三個主張，我們不能贊同“異切音同說”和“主元音不同說”。否定異切音同說的理由有：

（1）與《切韻》時代相近的其它字書、音義書，亦發現切語有重紐的現象。唐貞觀末年以長安音爲注音的《一切經音義》及梁大同後以南方音編成的《玉篇》，對於《切韻》重紐的兩類字，亦賦予不同音切。如《一切經音義》，跂（“支”開四）去知反：崎（“支”開三）邱宜反；愆（“仙”開四）去連反：褰（“仙”開三）邱焉反。《玉篇》，“止”攝類平聲三等有逵僓奇龜弅䠙戣鍨渠追倿瞿龜；四等有葵楑鄈渠惟【五十二】。尤應注意玄應《一切經音義》只替佛經注音，完全沒有考慮歸部定類，也不

【五十一】同前註，頁124。

【五十二】玄應《一切經音義》兩類切語引自周法高《玄應反切考》一文，載《中國語言學論文集》頁153~238。《玉篇》兩類切語引自周祖謨《萬象名義中原本玉篇音系》，載周祖謨《問學集》，頁372。

爲讀經而保存古語，玄應所注的音，應是當是時的音讀，但仍可發現重紐現象。配合《玉篇》、《切韻》重紐的事實觀之，當時重紐的出現絕非偶然，不會如黃季剛所說因“明本有異”而“著其異切”，在隋唐時代恐怕各地方言大都有重紐現象。

（2）《顏氏家訓．音辭》：“岐山當音爲奇，江南皆呼爲神祇之祇，江陵陷沒，此音被於關中”。奇，渠羈切，祇巨支切，是“支”韻一對重紐。顏氏所說奇祇二字的音讀，在當時北方方言區實有分別。

（3）潮州方言“支”開三等“罷”（陂）音[pai ˨˦]，開四“卑”[pi ˧]；“眞”韻開三“罷”（帔）[p'ai ˨˦]，開四“譬”[p'i ˨˦]；“至”韻開三“郿”[bai ˥˧]，開四“寐”[m ɶ̆ ˧]；“眞”合口三等“麏”[k u ŋ ˧] 合口四“均”[k ɯ ŋ ˧][五十三]。重紐兩類字在潮州音中仍保持異讀。這種異讀情況尚可在高麗譯音、日譯吳音以及廈門、福州、溫州等地方音中發現[五十四]。若說《切韻》重紐兩類字沒有語音差異，則譯音與方音的兩類異讀又作何解？

（4）就語音轉變條件看，重紐兩類若無語音差異，似乎不合語音轉變原則。重紐兩類字，發展到南宋，讀音已各有轉變的方向。《切韻指南》“臻”攝開口“眞”韻重三等唇音字“彬貧珉”合併於三等“殷”韻內；而“眞”韻重四等唇音字“賓繽頻

[五十三] 引自林蓮仙《潮讀反切音標兩用正音表》，香港中文大學中文系《叢刊》本。

[五十四] 見周法高《廣韻重紐的研究》，載《中國語言學論文集》，頁49~53。

民”則合併於四等“先”韻內。其他韻的重紐三四等字亦有類似的分化，如“仙”重三與“元”韻合併，重四等與“先”韻合併；《廣韻》“諄”韻重三與“文”韻合併，四等仍列於同圖四等地位。又如“宵”重四入於“蕭”，“鹽”重四入“添”等等。一組音若朝兩個不同方向演變，在它們當中必有不同的語音演變條件。如中古[k]音一方面演化成現代的 [tɕ]；另一方面則保全舌根[k]音。分化的條件是：[k]在[i]介音或窄元音之前讀[tɕ]；在開元音前仍讀[k]。相反，若演變條件相同，則不會演化爲不同讀音。《切韻》重紐兩類的讀音若無絲毫異處，則何以會有《切韻指南》中的不同變化？

我們又不贊成“元音不同說”，而傾向於“顎介音不同”的主張，理由如下：

（1）前文介紹董同龢和周法高的學說時，已指出他們因爲礙於《切韻》已有高本漢所構擬的兩種顎介音（三等：ɪ；四等：i），不能再多增一種，而且重紐三四等來自不同的古韻，所以主張重紐三四等的區別是主元音的不同。其實，高本漢顎介音的理論大有問題，純四等韻具強顎介音已被否定，《切韻》就只有三等韻有顎介音，所以就算重紐兩類的區別在於不同的顎介音，加起來就這麼兩套，不會自亂系統。其次，不同來源的古韻並非不能合併於同一韻類中。相反，《切韻》的韻類大部份有兩三個來源，如“虞”韻，是由上古“魚”、“侯”、“幽”三部韻變來。“虞”韻係三等獨韻，所以只有一個眞韻母。三個不同來源的古韻能演變合併成一個眞韻母，重紐兩類雖有兩個不同的古韻來源，豈不能演變發展成同一元音的韻母？

（2）《切韻》體例井然，法言審音嚴格，兩組字收音相同

（主元音加尾輔音），雖然韻頭開合洪細有異，仍編在同一韻中，如“東”韻有一等、三等；“寒”韻包含開口合口兩呼。相反，若韻母的主元音不同，即使音彩極其相近，亦會被析分爲二韻，如“東”：“冬”；“魂”：“痕”。重紐兩類，在同一韻內，據此原則，其主元音應無差異，分別只能在顎介音了。

（3）從日本、高麗譯音中，亦可見重紐三四等分別有強弱不同的介音。這是由王靜如發現的。王氏指出《萬葉集》中代表日本ki與kï音的兩組漢字，是重紐兩類字：

ki ：伎 支 岐 企 妓 枳 祇——“支”開口四等
kï ：紀 奇 騎 寄 倚 ——“支”開口三等

ï相當音標[ɯ]，漢字四等可見有強[i]介音，三等[i]介音應較弱，所以消失在混合音[ɯ]中[五十五]。

高麗譯音更清楚地顯示這種現象。王氏從高本漢“方言字彙”找出牙音例字：

三等（乙組）開口：-ɯi -ən -ɯn -əm
合口：-ue -uən -un
四等（甲組）開口：-i -iən -in -iəm
合口：-iu -iuən -iun

四等帶顎介音，非常清楚。三等的則被主元音侵蝕，而且[ɯi]、

[五十五]王靜如《論古漢語之顎介音》載《燕京學報》35期,頁68~71。

[ɯ ɳ]兩音顯示這種顎介音屬於央音以及音彩較暗的一種[五十六]。

（4）漢越語中，唇音分化爲舌尖音或擦音(p b>t；p'>t'；m>z）的現象，更好說明重紐三四等有兩種顎介音。其中一種使唇音在越語中舌齒化，另一種沒有產生這樣變化。潘悟雲、朱曉農在《漢越語和切韻唇音字》一文中把所有見於《切韻》三等韻的唇音字，以何成等人所編的《越漢字典》，查出越語注音，歸納爲一表，觀察研究，得出若干條規則：

1. 凡屬三等重紐 B 類(寅 B)全部保持唇音。
2. 舌化包括：
   a. "清"韻
   b. 極少幾個屬於純四等韻如薜、媲、渒(聲母都是 t)，此數字可視作例外。
   c. 最大量(約佔全部舌齒化字 85%)是寅 A 類字。包括有"支"A、"脂"、"祭"A、"眞"A、"仙"A、"宵"A。"侵""鹽"無唇音字，故無舌齒化。"支"、"脂"等七韻有一共點，即主元音都是較高之前元音[i]、[e]。
3. 有少數重紐 A 類與"清"韻字無舌齒化，這例外似以帶有較低的前元音[ε]爲多。

重紐三等唇音字全部保持雙唇音，四等與"清"韻則大部分聲母舌齒化。雖然雙唇音聲母舌齒化的韻主元音皆爲較高的前元音，

[五十六]同前註。

但不能以此作爲漢越語唇音聲母舌齒化的原因，因爲純四等韻的元音比它更高，而純四等韻除一二例外字外，其唇音悉不舌齒化，足見影響舌齒化的因素不在於主元音的高低，而在於顎介音的性質。潘、朱二氏擬B類顎介音爲較鬆的[i]，A類爲輔音性、摩擦力較強的[j]，而[j]可使前面的輔音擦化或塞擦化【五十七】。

（5）《唐初中原方音》一文載玄奘譯梵文帶y介音的梵語音節，從不用重紐三等字，對譯以[i]爲主元音的音節，只要有重紐字，則一律用四等字而不用三等字。如m i t對"蜜"（重四），從不省筆作"密"（重三）。譯帶r音的音節則用重三等字，如g r i d用"姞"、k r i t用"訖"、g r a n用"乾"、v r i j用"佛"，可見重四等介音近乎y或i，而重三則近r。

凡此五點，足證《切韻》重紐三四等區別在於顎介音之不同。至於哪類重紐的喉牙唇音與齒舌音相配，我以爲邵榮芬之說最善，故從之。另外"喻四"母字與放在四等格中的"精"母字性質相同，只表示聲母的不同，並不是重出字。"喻三"已入"匣"紐，與"喻四"同屬重紐三等類（包括重紐三等喉牙唇音加舌齒音），即B類。"清"韻因四等唇音在漢越語中轉化爲舌齒音，本書亦將之列入重紐韻類。重紐兩種的顎介音改寫並解釋如下：

三等　[ɪ]，暗弱而偏央。凡三等韻具此介音。

四等　[i]，顯而有強烈摩擦性。

【五十七】潘悟雲、朱曉農《漢越語和切韻唇音字》，載《語言文字研究專輯》，頁323~356。

第六節　《切韻》韻母音值的擬測

以上五節研究的結果，是擬定《切韻》韻母音值的重要依據。我們把它扼要歸納爲數條：

（一）《切韻》獨韻合口無[u]介音，[u]爲主元音。

（二）凡開合合韻或開合分韻的合口一律寫作[u]，[u]爲介音。

（三）合韻的合口與開口的分別只在於[u]之有無。

（四）分韻的合口韻與相對的開口韻分別在：１）[u]介音之有無；２）主元音音質的差異。

（五）唇音字無開合口對立，故取消其[u]介音。

（六）一等韻主元音的發音部位低而偏後；二等韻的主元音發音部位低而靠前；三四等合韻主元音的發音部位則較高且前；四等韻猶高。此僅從相對來說，並非絕對。

（七）純三等韻的主元音爲央元音；純四等的主元音爲[e]。

（八）三等韻重紐分ＡＢ兩類，Ｂ類包括重紐三等喉牙唇音和舌齒音；Ａ類指重紐四等之喉牙唇音。

（九）重紐ＡＢ兩類分別在於顎介音之不同，Ｂ類顎介音弱而偏央，寫作[ɪ]；Ａ類顎介音顯而富有強烈摩性，寫作[i]。凡三等韻，除重紐四等類外，其顎介音一律寫作[ɪ]。

（十）“臻”韻只有：臻側詵反、榛仕臻反、莘踈臻反三字。三字屬二等“莊”、“崇”、“山”紐字，而同轉三等韻“眞”韻則缺“莊”系字，故置“臻”韻於“眞”二等。

以上數條爲擬音的根據，我們又參考諸家的擬音，取長捨短，斟酌推敲，務使擬音工作完善。所參考諸家之說，皆出自下列材料：

高本漢《中國音韻學研究》

李榮《切韻音系》

陸志韋《古音說略》

董同龢《漢語音韻學》

王力《漢語音韻》

邵榮芬《切韻研究》

周法高《論切韻音》

文中徵引說家之說，不再一一指明出處，讀者可逕自翻檢。

一· 通 攝

韻類	開合	等	平	上	去	入	音 値	
獨	開	一	東	董	送	屋	[oŋ]	[ok]
		三					[ɪoŋ]	[ɪok]
	合	一	冬		宋	沃	[uŋ]	[uk]
韻	合	三	腫	腫	用	燭	[ɪuk]	[ɪu k]

（1）諸家均擬“東”爲[uŋ]，“冬”爲[uoŋ]，只有李榮視“冬”爲獨韻，取消其[u]介音而作[oŋ]。今據《七音略》、《韻鏡》，“東”爲開口獨韻，而“冬”爲合口獨韻，故把“東”擬作[oŋ]，“冬”擬作[uŋ]。

（2）“冬”韻“攻”，古冬反；“恭”，駒冬反，對立。韻圖以“攻”列一等，“恭”三等，而把用恭字爲切下字的“樅”、“蜙”二字列在四等。這樣，“恭”、“樅”、“蜙”便混入三等“鍾”內。用“冬”切“恭”，在被視爲法言傳寫本的 P37898

殘卷中亦然[五十八]。此本"樅"、"蜙"二字入"冬"韻，"冬"韻便有三等字。若是，則"冬""鍾"的主元音不能擬作同一音標，因"冬""鍾"三等對立。然《廣韻》"鍾"韻"恭"字下注云："陸以恭蜙樅等字入'冬'韻，非也"。王國維以爲此語出自《唐韻》[五十九]。王氏據大徐本《說文》"恭""供""龔"並音俱容切；"蜙"音息恭切；"樅"音七恭切，容爲"鍾"韻字，證徐鉉所據的《唐韻》"恭""蜙""樅"三字在"鍾"韻。《唐韻》殘葉P2018"鍾"韻"容"字音以恭反，用"恭"字切用"容"字，足證"恭""蜙""樅"三字在《唐韻》中已改入"鍾"韻。法言將此三字編入"冬"韻，乃誤收之故。

（3）又"鍾"上聲"腫"韻：湩，都隴反；䲯，莫湩反；另外，冢，知隴反，與湩對立。韻圖置湩、䲯於一等。《全王》湩字下注云："都隴反，濁多，此是'冬'字之上聲，陸云無上聲，何失甚"。若恭、樅、蜙改隸"鍾"韻；湩、䲯改入"冬"之上聲，則"冬""鍾"不是對立的韻。"冬"一等，"鍾"三等，互補關係，兩韻的主元音可擬作同一音標[u]。

二· 江 攝

韻類	開合	等	平	上	去	入	音值	
獨	開	二	江	講	絳	覺	[ɔŋ]	[ɔk]

[五十八] 周祖謨《唐五代韻書集存》，頁36~39。

[五十九] 王國維《書吳縣蔣氏藏唐寫本唐韻後》，載《觀堂集林》，頁364~370。

諸家擬“江”韻爲[ɔŋ]，獨周法高作[oŋ]。周氏云：“把‘江’韻作[oŋ]，似乎要好一點，只要假定[o]這個音位有三個同音位：在u介音後的是普通的 o，在 i介音和iu 介音後的是關 o，在前面沒有介音的時候是開 ɔ”。其實周氏也認爲江的音值是[ɔŋ]，不過他把 [ɔ] 歸併入[o]音位中，我們既擬“東”爲[oŋ]，“江”韻便無選擇地寫作[ɔŋ]了。

三· 止 攝

等	韻類	開合	平	上	去	入	音值	
							B類	A類
三等韻	合（重紐）韻	開	支	紙	寘		[ɪe]	[ie]
		合					[ɪue]	[iue]
		開	脂	旨	至		[ɪei]	[iei]
		合					[ɪuei]	[iuei]
	合韻(純三等)	開	微	尾	未		[ɪəi]	
		合					[ɪuəi]	
	獨	開	之	止	志		[ɪi]	

（1）“支”韻的元音，高本漢、李榮、董同龢、周法高主張用[e]。陸志韋用[ei]，非也。邵榮芬謂“支”韻與“佳”韻主元音相去不遠，“佳”既作[æi]，“支”當爲[ɛ]。董氏以爲“支”韻元音舌位應較高，所以後來容易爲 -j- 吸收而變作多數方言中的單元音[i]。我們雖然取消了 j 化，但“支”韻爲高元音卻是事實，梵文 i 音主要以“止”攝字對譯，證“止”攝各韻的主元音不會太低，故從董、周等人的擬音。

（2）“脂”、“之”的元音，現代方言已變爲[i]，高本漢無其他證據把它們區別，不得已都寫作[i]。董同龢以爲“脂”韻2類（重紐三等）屬乙類三等韻（即重紐自成一組的三等喉牙唇音，唇音不輕唇化），音近於甲類（唇音輕唇化的純三等韻），故擬“脂” 2爲[jĕi]，1類爲[jei]。邵榮芬以爲佛經中多用“脂”韻字對梵文 i 或 ī，且有一貫不變性，故擬“脂”的元音爲[ɪ]。又從隋代詩文押韻的情況得知“脂”、“之”兩韻關係密切，“脂”主元音既爲[ɪ]，“之”當作[e]。陸志韋不贊成把“脂”擬爲[ɪ]，因廣州音“肌”爲[kei]，“地”爲[tei]，“比”爲[pei]，尚保存複合元音。現代方言好些地區“脂”韻合口讀爲三折音式，如官話讀爲[uei]，廣州亦有些讀爲[uai]，可見“脂”韻應讀作[ei]。陸氏所言甚是。梵文對音中，“止”攝各韻字皆可對譯梵文 i（見《周隋長安方音初探》），因此“支”“脂”“之”“微”各韻皆有如梵文 i 音的特性，我們認爲各韻具有這種特性因爲它們是三等韻，韻頭是 i 介音；另外它們的主元音必爲窄音，並非只有“脂”韻才有這種特性，所以把“脂”韻擬作[ɪ]，未得其實。今從陸氏，寫“脂”韻爲[ei]。“之”韻便不得不爲[i]。

（3）“微”韻的元音高本漢擬作[ḙi]，諸家均不贊同。“微”爲純三等韻，應有央元音，故擬作 [ɪəi]。

四· 遇 攝

韻類	開合	等	平	上	去	入	音值
獨	合	一	模	姥	暮		[u]
	口	三	虞	麌	遇		[ɪu]
韻	開	三	魚	語	御		[ɪɔ]

（1）高本漢據日譯漢音、高麗譯音、安南譯音和汕頭等音，擬“虞”韻爲[ɪ u]。又發現“魚”“虞”的主元音在二等舌尖音聲母（tʂ等）下，譯音與方音都分別作[o][u]。“模”韻的元音，漢音、高麗音和安南音均作[o]，因此高氏便以“魚”配“模”。他又依照自己的一等強合口、二三四等弱合口的理論，寫定“模”韻爲[uo]，“魚”韻爲[ɪ ʷo]。然而南北朝韻文“虞”“模”一類，“魚”單獨成一類，《廣韻》韻目“魚”上注明獨用，“虞”下注“模”同用；《七音略》、《韻鏡》“魚”獨立一圖，“虞”“模”共一圖，均證“虞”配“模”而非“魚”配“模”。“模”、“虞”爲獨韻合口類，按例分別擬作[u][ɪu]。

（2）周法高發現“魚”韻有數字對梵文a，“虞”韻則少對a，“魚”更可兼對o和a，因此認爲“魚”韻的主元音在o和a之間，應爲[ɔ]，寫作[o]，其理與“江”韻同（見周法高《切韻魚虞之音讀及其流變》）。本書既寫“江”爲[ɔŋ]，故“魚”的主元音亦作[ɔ]。

五· 蟹攝

韻類	等	開\合	平	上	去	入	音值
分韻	一	開	咍	海	代		[Ai]
	一	合	灰	賄	隊		[uəi]

合		一	開\合			泰		[ɑi] \ [uɑi]
		二	開\合	佳	蟹	卦		[æi] \ [uæi]
		二	開\合	皆	駭	怪		[ɐ i] \ [u ɐ i]
韻		二	開\合			夬		[ai] \ [uai]
合	重	三 B	開\合			祭		[ɪɛi] \ [ɪuɛi]
	紐	三 A	開\合					[iɛi] \ [iuɛi]
	純	三	開\合			廢		[ɪ ɐ i] \ [ɪ u ɐ i]
韻	純	四	開\合	齊	薺	霽		[ei] \ [uei]

（1）“泰”與“咍”，“佳”與“皆”、“夬”爲一二等重韻，高氏以爲分別在長短元音，已辯不確。梵文對音不能顯示其分別所在，故只能依賴上古音。上古“咍”的主元音爲[ə]，“皆”爲[ə]或[e][六十]。韻圖“咍”“皆”合在一轉，可見兩者均爲央元音。“泰”韻按例定爲低後元音的[ɑi]，“咍”便爲[Ai]，“皆”爲[ɐ i]。

（2）“咍”“灰”分韻，“灰”非“咍”的合口音，陸志韋定“灰”爲[wəi]，甚是。今只改w爲u，重定爲[uəi]。

（3）“佳”的主元音上古爲[e]，“夬”上古爲[a]。陸志韋、董同龢都分別把“佳”“夬”的中古音定爲[æi] [ai]，今從之。

（4）三等“祭”的元音李榮、王力定爲[ɛi]，董同龢、周法高擬作[æi]，ɛ 跟 æ 相去不遠，二等“佳”既用 æ ，三等“祭”便依李榮擬作[ɪɛi]。

[六十] 所引上古音，見董同龢《上古音韻表稿》，和《漢語音韻學》。

（5）純三等“廢”、純四等“齊”當依例分別擬作[ɪ ɐ i]、[ei]。

六· 臻　攝

韻類	等	開合	平	上	去	入	音值	
分韻	一	開	痕	很	恨	（紇）	[ən]	[ə t]
	一	合	魂	混	慁	沒	[uon]	[uot]
	三	開	殷	隱	焮	迄	[ɪən]	[ɪə t]
	三	合	文	吻	問	物	[ɪuon]	[ɪuot]
合韻（重紐）	三B	開	眞	軫	震	質	[ɪen]	[ɪet]
		合	（臻）			（櫛）	[ɪuen]	[ɪuet]
	三A	開	眞	軫	震	質	[i en]	[i et]
		合	（臻）			（櫛）	[i uen]	[i uet]

（1）“痕”“魂”與“殷”“文”兩組韻性質相彷。只要擬好一組音，另一組音不難擬定。“痕”“魂”兩韻的主元音，諸家只用同一音標，“痕”作[ən]，而“魂”爲其合口作[uən]。今知“痕”“魂”是分韻，其主元音應有分別。《唐初中原方音》載玄奘以“痕”韻字對梵文 o，“魂”韻字對梵文 un；《周隋長安方音初探》指出經師以“痕”韻字對梵文 ən，“魂”韻字對 un，因知《切韻》“痕”“魂”除開合有別外，其主元音音質亦迄自不同。今從諸家擬“痕”爲 [ən]，而據梵文對音，擬“魂”爲[uon]。

（2）“殷”“文”韻亦效“痕”“魂”擬作[ɪən] [ɪuon]。

（3）“眞”韻的主元音高本漢、李榮、王力、陸志韋均作[ĕ]，董同龢、周法高、邵榮芬作[e]，[ĕ]爲[e]的短音。《切韻》無長短音對立，故擬“眞”爲[ɪen]。“眞”之外，高本漢另有“臻”韻擬爲[ȡ ɛ n]。“眞”“臻”互補，前己述及，故歸“臻”入“眞”韻。

七· 山 攝

<table>
<tr><th colspan="2">韻 類</th><th>等</th><th>開合</th><th>平</th><th>上</th><th>去</th><th>入</th><th colspan="2">音 值</th></tr>
<tr><td colspan="2" rowspan="6">合
韻</td><td rowspan="2">一</td><td>開</td><td rowspan="2">寒</td><td rowspan="2">旱</td><td rowspan="2">翰</td><td rowspan="2">曷</td><td>[ɑn]</td><td>[ɑ t]</td></tr>
<tr><td>合</td><td>[uɑn]</td><td>[uɑt]</td></tr>
<tr><td rowspan="4">二</td><td>開</td><td rowspan="2">刪</td><td rowspan="2">潸</td><td rowspan="2">諫</td><td rowspan="2">鎋</td><td>[ɐ n]</td><td>[ɐ t]</td></tr>
<tr><td>合</td><td>[u ɐ n]</td><td>[u ɐ t]</td></tr>
<tr><td>開</td><td rowspan="2">山</td><td rowspan="2">產</td><td rowspan="2">襇</td><td rowspan="2">黠</td><td>[an]</td><td>[at]</td></tr>
<tr><td>合</td><td>[uan]</td><td>[uat]</td></tr>
<tr><td rowspan="8">合
韻</td><td rowspan="4">（重紐）</td><td rowspan="2">三B</td><td>開</td><td rowspan="2">仙</td><td rowspan="2">獮</td><td rowspan="2">線</td><td rowspan="2">薛</td><td>[ɪæn]</td><td>[ɪæt]</td></tr>
<tr><td>合</td><td>[ɪuæn]</td><td>[ɪuæt]</td></tr>
<tr><td rowspan="2">三A</td><td>開</td><td rowspan="2">仙</td><td rowspan="2">獮</td><td rowspan="2">線</td><td rowspan="2">薛</td><td>[iæn]</td><td>[iæt]</td></tr>
<tr><td>合</td><td>[iuæn]</td><td>[iuæt]</td></tr>
<tr><td rowspan="2">純</td><td rowspan="2">三</td><td>開</td><td rowspan="2">元</td><td rowspan="2">阮</td><td rowspan="2">願</td><td rowspan="2">月</td><td>[ɪ ɐ n]</td><td>[ɪ ɐ t]</td></tr>
<tr><td>合</td><td>[ɪ u ɐ n]</td><td>[ɪ u ɐ t]</td></tr>
<tr><td rowspan="2">純</td><td rowspan="2">四</td><td>開</td><td rowspan="2">先</td><td rowspan="2">銑</td><td rowspan="2">霰</td><td rowspan="2">屑</td><td>[en]</td><td>[et]</td></tr>
<tr><td>合</td><td>[uen]</td><td>[uet]</td></tr>
</table>

（1）一等“寒”依例定爲[ɑn]。

（2）二等“刪”“山”重韻，陸志韋《古音說略》：“從一般的諧聲的關係看來，‘寒’（桓）轉‘刪’而不很轉‘山’，‘山’比‘刪’更近‘眞’‘先’，‘刪’合口轉‘元’而‘山’不轉‘元’。”“元”韻的元音偏中央，陸氏因而擬定“刪”爲[ɐ n]，今從之。而“山”仍作[an]。

（3）“仙”韻的主元音高本漢、王力、陸志韋、李榮均擬爲[ɛ]，董同龢、周法高、邵榮芬擬作[æ]。三等“仙”無論以長安音或中原方音均可對梵文短 a ，故其音較開，今從董、周而擬“仙”韻爲[iæn]。

（4）“元”韻是純三等韻，依例擬爲[ɪ ɐ n]；四等“先”亦依例作[en]。

八· 效 攝

韻類	開合	等	平	上	去	入	音值
獨	開	一	豪	皓	號		[ɑu]
		二	肴	巧	效		[a u]
		三 B	宵	小	笑		[ɪæu]
		(重) A					[iæu]
韻	口	四	蕭	篠	嘯		[e u]

（1）一等“豪”二等“肴”，高本漢、董同龢、李榮、王力、周法高、邵榮芬等一致分別擬爲[ɑu]、[a u]，今從之。

（2）三等“宵”的元音高、李、王、陸擬作[ɛ u]，董、周、邵擬作[æu]，今因三等“宵”字能對梵文短 a ，其音較開，故從董、周、邵擬“宵”韻爲[ɪæu]。

（3）“蕭”，純四等韻，依例擬作[e u]。

九· 果 攝

韻類	等	開合	平	上	去	入	音值
合	一	開 \ 合	歌	哿	箇		[ɑ] \ [uɑ]
韻	三	開 \ 合					[ɪɑ] \ [ɪ uɑ]

（1）諸家一致認爲“歌”韻讀[ɑ]，現代方音“歌”讀較高之元音。然而，高麗譯音、日本及安南譯音均作 a ，“歌”又可對梵文ɑ，故仍從諸家的擬音。

十· 假 攝

韻類	等	開合	平	上	去	入	音值
合	二	開 \ 合	麻	馬	禡		[a] \ [ua]
韻	三	開 \ 合					[ɪ a] \ [ɪ u a]

“麻”爲二三等合韻，諸家一致擬定其主元音爲[a]，甚合二等韻元音的性質，今從之。“麻”的三等，主元音與二等無異，只多一顎介音，寫作[ɪ a]。

十一· 宕 攝

韻類	等	開合	平	上	去	入	音 值	
合韻	一	開	唐	蕩	宕	鐸	[ɑŋ]	[ɑk]
		合					[uɑ ŋ]	[uɑ k]
	三	開	陽	養	漾	藥	[ɪɑŋ]	[ɪɑk]
		合					[ɪuɑ ŋ]	[ɪuɑ k]

一等“唐”韻的主元音，高本漢擬作深[ɑ]，三等“陽”韻擬作淺[a]。李榮、王力從之。董同龢《漢語音韻學》說：“‘宕’攝字的主要元音，現代多數方言作[a]類元音，一等與三等相同，只有廣州、客家與一些吳語方言作[o]（廣州三等字又受介音 i 的影響作 œ ），福州一等作[ou]，而三等作-yo-，又有些官話方言一等作 a 而三等作 e ，我們可以就此假定中古一三兩等都是ɑ，而廣州、福州等處的 o 、 ou 等讀法爲後來的變化，我們不能照上述‘假’攝的例把三等的元音擬作 a 或æ，因爲 i aŋ 或 iæŋ 變 ioŋ 不合情理，而說 jɑŋ 變少數方言的 ieŋ ，則是自然”。本書從之，只改變其顎介的寫法。

十二．梗　攝

韻類	等	開合	平	上	去	入	音值	
合	二	開	庚	梗	映	陌	[æŋ]	[æk]
		合					[uæŋ]	[uæk]
	三	開					[ɪæŋ]	[ɪæk]
		合					[ɪuæŋ]	[ɪuæk]
	二	開	耕	耿	諍	麥	[ɐŋ]	[ɐk]
		合					[uɐŋ]	[uɐk]
		開重	淸	靜	勁	昔	[ɪɛŋ]	[ɪɛk]
	三	合B					[ɪuɛŋ]	[ɪuɛk]
	等	開重					[iɛŋ]	[iɛk]
		合A					[iuɛŋ]	[iuɛk]
韻	四	開	靑	迥	徑	錫	[eŋ]	[ek]
		合					[ueŋ]	[uek]

（1）“庚”韻與“耕”韻字現代方言無分別的痕蹟，其主元音有些是[ə]，有些是[a]。最初高本漢以爲“庚”“耕”是主元音的長短分別，音彩無異，由於不能擬作 e（與“蒸”相同）或 a（與“陽”相同），因此擬爲[ɐ]。後來發現“庚”與上古[ɑŋ]、[iaŋ]類押韻，而“耕”跟[iɛŋ] [ieŋ]押韻，故改“耕”爲[æŋ]，而“庚”仍作[ɐŋ]。陸志韋把高氏的結論倒轉，他認爲“耕”的入聲與“登”的入聲“德”韻（[ə]）押韻，諧聲“耕”合口與“登”系合口通轉，故“耕”應爲央元音的[ɐŋ]。

“庚”與“陽”（[ɪɑŋ]）“唐”（ [ɑ ŋ] ）爲一部韻，“耕”與“清”（[i ɐ ŋ]> [iɛŋ]）又爲一部韻，故“庚”當作[a ŋ]。韻圖“唐”不跟“庚”同轉而與“陽”同轉，是“唐”與“陽”的關係較與“庚”密切。陸氏把高氏“庚”“耕”的音值倒轉過來，是音學上一大進步。但他擬“庚”三爲[ɪæŋ]（“庚”二作[a ŋ]），則違反《切韻》同韻元音相同的原則。邵榮芬認爲“庚”二三等同韻，隋朝韻文“庚”三與“清”“靑”押韻，比“清”“靑”相押更多，因此認爲“庚”二三等的主元音介乎[a]、[æ]之間，因無現成符號，所以仍作[a]（案邵擬“清”主元音爲[æ]）。本書“清”擬爲[ɪɛŋ]，所以擬“庚”的主元音爲[æ]，也不衝突。

（２）“靑”純四等韻依例作[eŋ]。

十三· 曾 攝

韻類	等	開合	平	上	去	入	音值	
分韻	一	開	登	等	嶝	德	[əŋ]	[ək]
		合					[uəŋ]	[uək]
	三	開	蒸	拯	證	職	[ɪeŋ]	[ɪek]
		合					[ɪue ŋ]	[ɪuek]

（１）諸家以[əŋ]爲“登”的音值，今從之。

（２）三等“蒸”韻的主元音，高本漢、董同龢、王力仍擬作[ə]，陸志韋《古音說略》：“‘蒸’系相當於‘侵’系跟‘眞’系。把主元音改作 ĕ，不但-m 、-n 、- ŋ 一律，並且當時就教人明了《切韻》何以‘登’‘蒸’分韻。”董氏擔心若擬“蒸”爲

[jeŋ]，便與“梗”攝四等[ieŋ]太近。然而，四等韻的 i 介音早被取消，董氏的憂慮大可不必，故從陸氏擬“蒸”韻爲[ɪeŋ]。

十四．流　　攝

韻類	開合	等	平	上	去	入	音值
獨韻	開	一	侯	厚	候		[əu]
		三	尤	有	宥		[ɪəu]
		三	幽	黝	幼		[ɪeu]

（1）一等“侯”韻王力、陸志韋、周法高、邵榮芬均作[əu]，高本漢的擬音是在 ə 上加“︶”號，表示 ə 爲非主元音。董同龢、李榮則作 [u]。若依董、李，則很難解釋爲什麼方言中在 u 前出現其它音素。故仍從陸氏等擬音。

（2）《七音略》、《韻鏡》“侯”“尤”“幽”同轉，“侯”既爲[əu]，“尤”是三等韻，當作[ɪəu]。“幽”雖列在四等，但其性質與純四等韻全然不同，因：1．“幽”韻只有喉牙唇音，反切上字用“居”、“方”，與其他三等韻同類。2．“幽”韻又有四等韻沒有的“群”母字[六十一]。“幽”韻又不似“清”韻屬重紐類，因其唇音在漢越語中沒有轉化爲舌齒音。“幽”韻應爲普通三等韻。高本漢不能區別“尤”“幽”兩韻的主元音，於是只從介音的性質把二者區別開來，“尤”便爲[ɪəu]，而“幽”

[六十一] 董同龢《漢語音韻學》，頁 177。

爲[iəu]了。

董同龢以爲三等韻的主元音若爲[u]，其重唇音悉變爲[f]。“尤”韻唇音[f]化而“幽”韻則保持重唇音，故認爲“尤”韻讀[ju]“幽”韻讀[j ə u]。董氏之所以有這個結論，是爲高本漢輕唇化以 u 音爲條件的理論所累。蓋“陽”韻無 u 介音，其唇音亦輕唇化，則知輕唇化的條件非如高氏所說【六十二】。我們認爲“尤”韻不必讀作[ju]，而“幽”韻也無須讀爲[j ə u]。

陸志韋《古音說略》：“高氏最重視高麗譯音，竟沒有留意到‘九’（‘尤’）是 k u，‘糾’（‘幽’）是 k i u。‘幽’的音最宜乎作 i ĕ u，主元音是 ĕ，不像‘尤’的主元音是 ə，因爲四等介音 i 的同化。”我們除了取消 ĕ 上的“︶”符號，及不當“幽”韻爲四等韻外，悉從陸氏，擬“幽”韻爲[ɪeu]。

十五・　深　　攝

韻	類	開合	等	平	上	去	入	音值	
獨韻	重紐	開	三B A	侵	寢	沁	緝	[ɪem] [iem]	[ɪep] [iep]

“侵”韻高本漢擬作[ɪ ə m]。“侵”與“眞”在現代方言中，完全並行。董同龢《漢語音韻學》：“在-m 與-n 混的方言，‘深’攝字總是和‘臻’攝三等字混：即在韻尾不同的方言，元

【六十二】竊以爲重唇音輕唇化之條件爲：所有具央後元音之三等韻，其重唇聲母一律輕唇化。

音仍是一樣。前面把‘臻’攝三等‘欣’韻的元音訂作 ə，‘眞’韻訂作 e，‘侵’屬內類（案普通三等韻），與‘欣’不同，所以現在以爲 e。”其言甚是，今擬“侵”爲[ɪem]。

十六· 咸 攝

韻類		開合	等	平	上	去	入	音值	
獨		開	一	覃	感	勘	合	[Am]	[Ap]
				談	敢	闞	盍	[ɑm]	[ɑp]
			二	咸	豏	陷	洽	[ɐ m]	[ɐ p]
				銜	檻	鑑	狎	[am]	[ap]
韻		口	三B	鹽	琰	艷	葉	[ɪɛm]	[ɪɛm]
			A					[iɛm]	[i ɛ m]
			四	添	忝	㮇	帖	[em]	[ep]
分	純	開	三	嚴	广	嚴	業	[ɪ ɐ m]	[ɪ ɐ p]
韻		合	三	凡	范	梵	乏	[ɪuɑm]	[ɪuɑp]

（1）“咸”攝一二等韻有重韻。高氏以爲一等“談”與“覃”，二等“銜”與“咸”是長短元音的分別。長短元音之說，已證其非。但以“覃”配“咸”；以“談”配“銜”適符諧聲系統及韻圖的歸轉（《韻鏡》、《七音略》俱以“談”“銜”爲一轉，“覃”“咸”合於一圖）。“咸”攝的體例相當於“蟹”攝，主元音均是 a 類。今仿“蟹”攝定“談”爲[ɑm]、“銜”爲[am]、“覃”爲[Am]、“咸”爲[ɐ m]。

（2）三等重紐“鹽”韻，依例定爲[ɪ ɐ m]；純四等“添”韻定爲[em]。

（3）“嚴”“凡”兩韻性質如何？迄今研究尚未明朗。《韻鏡》、《七音略》皆標明“嚴”爲開口，“凡”爲合口，而且兩韻爲分韻類，應有不同的主元音。但發展至南宋，兩韻字已混爲一體。《切韻指掌圖》把它們放在同攝同轉三等位置，標明獨韻。獨韻是沒有開合對音的韻。“嚴”“凡”的開合對立性如何泯滅？它們的元音又如何趨向一致？事實上，《王一》、《王二》、《全王》“嚴”“凡”皆有對立小韻：

广韻（嚴上聲）：㦹,丘广反　　業韻（入聲）：怯,去刧反
范韻（凡上聲）：凵,丘范反　　乏韻（入聲）：猲,起法反

李榮《切韻音系》懷疑這兩組小韻對立的可靠性，但到最後仍然有“點不放心”，依舊保留“嚴”“凡”的開合對立。邵榮芬進一步考出“嚴”“凡”無對立小韻（案邵氏對猲小韻只說極可疑而不敢完全否定）而把它們合併（使“凡”爲“嚴”之唇音字），擬作[i ɐ m]音。從音位學而言，固可不分“嚴”“凡”，但把“嚴”“凡”韻母擬作同一[i ɐ m]音，而沒有說明爲何《切韻》“嚴”“凡”必分韻，《韻鏡》、《七音略》必以“凡”爲合口，“嚴”爲開口，於理總覺不安。

《切韻》原本無上聲“广”、去聲“嚴”（《廣韻》改爲“釅”）兩韻。今從《唐韻》去聲“梵”韻所存的“劍、欠、俺、嚴”等喉牙小韻（案：應爲去聲“嚴”韻字），知陸法言誤將開口“广”、“嚴”兩韻字寄於合口“范”、“梵”韻中。所王仁昫謂法言之

不設“广”、“嚴”兩韻，是一過失。今觀王韻，已刊正陸氏之失，增補“广”、“嚴”兩韻，在《王二》、《全王》中，已見本在《唐韻》去聲“梵”韻的劍、欠等喉牙音字，改隸於“嚴”韻下。從切語下字分析，這種改隸，甚合音理。切下字分爲兩類，一類系聯喉牙音字，一類系聯唇音字。周祖謨《陳澧切韻考辨誤》主張把這類喉牙音歸入開口（即“嚴”系韻），甚具卓識。

如此，則“凡”韻系有只有唇音字，“嚴”韻系只喉牙音字（㪁：凵；怯：猲的問題，下文詳細討論）。若“凡”韻眞只具唇音字，則它雖爲合口而不須設u介音，蓋因唇音無開合口對立。《切韻》“嚴”“凡”分韻，它們的主元音應有分別。現在把“嚴”韻擬爲[ɪ ɐ m]而把“凡”韻 寫作[ɪɑm]，既可以解決開合分韻等問題，亦容易解釋“嚴”“凡”在《切韻指掌圖》時元音何以演成一致，再無開合對立，由於[ɑ] 受 [ɪ]介音影響趨前而與[ɐ]混同。

不過上述推論成立之先，須得解決李榮所面對的難題：“范”韻牙音丘范反的“凵”字與“广”韻牙音丘广反的“㪁”字對立；“乏”韻牙音起法反的“猲”字與“業”韻牙音去劫反的“怯”字對立。若不先解決這兩組小韻的問題，則“凡”韻只具唇音字的大前題必不能確立，由此而推斷的結論則無意義。

今據《切三》，“范”韻只有一個“范”小韻，注云：“姓，無反語，取‘凡’之上聲，四。”與這個小韻同音的其他三字爲：範、犯、䑣，則知《全王》“范”韻㛮字音明范反，凵字音丘范反，是後增字。

“乏”韻猲字，起法反，亦似後增字。《經典釋文》猲字作許謁反，顏師古《漢書注》作呼葛反，《史記集解》、《史記索隱》的切語與顏師古相同。邵榮芬謂猲起法反的切語，最早見於何超《晉書音義》。《晉書音義》注猲爲計葛反，而起法反是又音。《晉書音義》是唐天寶年間作品，所以王韻猲字起法反，應是後人本於其他音義書的切語而增加。而其他音義書用起法反的切語時，可能“嚴”“凡”兩韻的主元音已相同無殊，或甚爲接近。這樣看來，在增加丘范反的凵字和起法反的猲字時，它們的讀音可能和“嚴”系韻的㚘字（丘广反）和怯字（去劫反）無異（“凡”系韻雖是合口韻，但切下字“范”、“法”爲唇音字，唇音無開合之分，所以“范”、“法”的韻母沒有u介音，這與開口“嚴”系韻切下字的广、劫韻讀相同），增字者不審，因見凵、猲二字的切語下字用“凡”韻系字，就移增於“凡”韻的上聲“范”韻及入聲“乏”韻之內，便與“广”韻的㚘字、“業”韻的怯字形式上對立。今剔除凵、猲兩個後增字，而維持“凡”韻只有唇音而“嚴”韻只有喉牙音的局面，上面所擬的音便能成立了。

第七節　《切韻》韻母音值表

本節把《切韻》韻母音值研究的結果，製成圖表，以作本章總結。

韻攝	韻類	平	上	去	等韻	等列	開合	平上去音值	入	入聲音值
通攝	獨韻	東一	董一	送一	一	1	開	oŋ	屋一	ok
					三	2,3,4		ɪoŋ		ɪok
		冬二		宋二	一	1	合	uŋ	沃二	uk
		鍾三	腫二	用三	三	3,4	合	ɪuŋ	燭三	ɪuk
江攝	獨韻	江四	講三	降四	二	2	開	ɔŋ	覺四	ɔk
止攝	合韻	支五	紙四	寘五	三	2,3,4	開 BA	ɪe , i e		
							合 BA	ɪue, iue		
		脂六	旨五	至六	三	2,3,4	開 BA	ɪei, iei		
							合 BA	ɪuei, iuei		
	獨韻	之七	止六	志七	三	2,3,4	開	ɪi		
	合韻	微八	尾七	未八	三	3	開	ɪəi		
							合	ɪuəi		
遇攝	獨韻	魚九	語八	御九	三	2,3,4	開	ɪɔ		
		虞十	麌九	遇十	三	2,3,4	合	ɪu		
		模十一	姥十	暮十一	一	1	合	u		
蟹攝	合韻			泰十二	一	1	開	ɑi		
							合	uɑi		
		齊十二	薺十一	霽十三	四	(3),4	開	ei		
							合	uei		
				祭十四	三	2,3,4	開 BA	ɪɛi, iɛi		
							合 BA	ɪuɛi, iuɛi		

蟹	合	佳十三	蟹十二	卦十五	二	2	開	æi		
							合	uæi		
	韻	皆十四	駭十三	怪十六	二	2	開	ɐi		
							合	uɐi		
				夬十七	二	2,4	開	ai		
							合	uai		
	分	灰十五	賄十四	隊十八	一	1	合	uəi		
攝	韻	咍十六	海十五	代十九	一	1	開	Ai		
					三	3		ɪAi		
	合			廢二十	三	3	開	ɪɐi		
	韻						合	ɪuɐi		
	合	眞十七	軫十六	震二一	三	2,3,4	開 BA	ɪen, ien	質五	ɪet, iet
	韻	臻十八					合 BA	ɪuen, iuen	櫛七	ɪuet, iuet
臻	分	文十九	吻十七	問二二	三	3	合	ɪuon	物六	ɪuot
		殷二十	隱十八	焮二三	三	3	開	ɪən	迄八	ɪət
		魂二二	混二十	慁二五	一	1	合	uon	沒十	uot
攝	韻	痕二三	很二一	恨二六	一	1	開	ən	(紇)	ət
山	合	元二一	阮十九	願二四	三	3	開	ɪɐn	月九	ɪɐt
							合	ɪuɐn		ɪuɐt
		寒二四	旱二二	翰二七	一	1	開	ɑn	末十一	ɑt
							合	uɑn		uɑt
攝	韻	刪二五	潸二三	諫二八	二	2	開	ɐn	黠十二	ɐt
							合	uɐn		uɐt

山	合	山二六	產二四	襉二九	二	2	開	an	鎋十三	at
							合	uan		uat
		先二七	銑二五	霰三十	四	4	開	en	屑十四	et
							合	uen		uet
攝	韻	仙二八	獮二六	線三一	三	2,3,4	開 BA	ɪæn, iæn	薛十五	ɪæt, iæt
							合 BA	ɪuæn,iuæn		ɪuæt,iuæt
效	獨	蕭二九	篠二七	嘯三二	四	4	開	eu		
		宵三十	小二八	笑三三	三	2,3,4	開 BA	ɪæu ,æu		
		肴三一	巧三九	效三四	二	2	開	au		
攝	韻	豪三二	皓三十	號三五	一	1	開	ɑu		
果	合	歌三三	哿三一	箇三六	一	1	開合	ɑ, uɑ		
攝	韻				三	3,4	開合	ɪɑ, ɪuɑ		
假	合	麻三四	馬三二	禡三七	二	2	開合	a, ua		
攝	韻				三	3,4	開合	ɪa, ɪua		
宕	合	陽三七	養三五	漾四十	三	2,3,4	開	ɪɑ ŋ	藥二七	ɪɑ k
							合	ɪuɑ ŋ		ɪuɑ k
攝	韻	唐三八	蕩三六	宕四一	一	1	開	ɑ ŋ	鐸二八	ɑ k
							合	uɑ ŋ		uɑ k
曾	合	蒸四九	拯四七	證五二	三	2,3,4	開	ɪeŋ	職二九	ɪek
							合	ɪueŋ		ɪuek
攝	韻	登五十	等四八	嶝五三	一	1	開	əŋ	德三十	ək
							合	uəŋ		uək

梗	合	庚三九	梗三七	敬四二	二 三	2 3	開合 開合	æŋ, uæŋ ɪæŋ, ɪuæŋ	陌十九	æk, uæk ɪæk, ɪuæk
		耕四十	耿三八	諍四三	二	2	開 合	ɐ ŋ u ɐ ŋ	麥十八	ɐ k u ɐ k
		清四一	靜三九	勁四四	三	2,3,4	開 BA 合 BA	ɪɛŋ, iɛŋ ɪuɛŋ, iuɛŋ	昔十七	ɪɛk, iɛk ɪuɛk, iuɛk
攝	韻	青四二	迥四十	徑四五	四	4	開 合	eŋ ueŋ	錫十六	ek uek
流	獨	尤四三	有四一	宥四六	三	2,3,4	開	ɪəu		
		侯四四	厚四二	候四七	一	1,(2)	開	əu		
攝	韻	幽四五	黝四三	幼四八	三	(2),4	開	ɪeu		
深 攝	獨 韻	侵四六	寑四四	沁四九	三	2,3,4	開 B A	ɪem iem	緝二六	ɪep iep
咸	獨	覃三五	感三三	勘三八	一	1	開	Am	合二十	Ap
		談三六	敢三四	闞三九	一	1	開	ɑm	盍二一	ɑp
		鹽四七	琰四五	豔五十	三	3,4	開 B A	ɪɛm iɛm	葉二四	ɪɛp iɛp
		添四八	忝四六	㮇五一	四	4	開	em	怗二五	ep
		咸五一	豏四九	陷五四	二	2	開	ɐ m	洽二二	ɐ p
	韻	銜五二	檻五十	鑑五五	二	2	開	am	狎二三	ap
	分	嚴五三	广五一	嚴五六	三	3	開	ɪ ɐ m	業三一	ɪ ɐ p
攝	韻	凡五四	范五二	梵五七	三	3	合	ɪuɑm	乏三二	ɪuɑp

第四章 《切韻》的聲調

高本漢認為《切韻》有四個調型，而每個調型各分高低音兩種，清聲母字屬高音調類，濁聲母字屬低音調類，共有八個聲調[一]。杜其容亦認為陳澧主張《切韻》有四聲八調[二]。比陳澧、高本漢更早有婺源江永慎修，也主張八聲之說，他在《音學辨微》中說：

> 平有清濁，上去入皆有清濁，合之八聲。桐城方以智以啌嘡上去入為五聲誤矣。蓋上去入之清濁，方氏不能辨也[三]。

其說與高陳暗合。觀《唐韻・序》後的論部，似乎這個說法有更早的淵源。論部是這樣說的：

> 《切韻》者，本乎四聲，......則參宮參羽半徵半商（案陳澧以為係平上去入四聲），引字調音，各有清濁。若細分其條目，則令韻部繁碎，徒拘桎於文辭耳[四]。

[一] 高本漢《中國音韻學研究》,頁 437。

[二] 杜其容《陳澧反切說申論》,《書目季刊》 4 卷 4 期,頁 17~21。

[三] 江永《音學辨微》,頁 23~24。

[四] 載於《廣韻》法言《序》後。

《切韻》是否眞有四聲八調？現代吳方言仍保持有清濁聲母，而聲調又分陰陽兩類，清聲母字屬於陰調類，濁聲母字屬於陽調類。以蘇州音爲例[五]：

字例	詩꜀sʮ	時꜁zʮ	水꜂sʮ	試sʮ꜄	示zʮ꜅	式sɤʔ꜆	食zɤʔ꜇
調值	˦ 44	˨˦ 24	˦˩ 41	˥˩˧ 513	˧˧˩ 331	˦ 44	˨˧ 23
調類	陰平	陽平	上聲	陰去	陽去	陰入	陽入

廣州方言雖然全濁聲母已經消失，但平上去入的聲調各分陰陽，正與《切韻》清濁系統相對應：清聲母→陰聲調；濁聲母→陽聲調。陰陽只表示調音的高低，兩類平上去入的調型則無改變。舉例如下（廣州話尙有一中入，共九聲）[六]：

字例	詩꜀si	時꜁si	使꜂si	市꜃si	試si꜄	事si꜅	識sik꜆	食sik꜇
調值	˥ 55 ˥˧ 35	˩ 11 ˨˩ 21	˧˥ 35	˩˧ 13 ˨˧ 23	˧ 33	˨ 22	˥ 55	˨ 22
調類	陰平	陽平	陰上	陽上	陰去	陽去	陰入	陽入

[五] 引自袁家驊等《漢語方言學概要》，文字改革出版社，頁60。

[六] 同前註。

似乎《切韻》聲調分八類又可在方言中找到根據。然而，細察這兩種方言，發現其陰陽與清濁的關係，有其本身的特點，不但不可作爲《切韻》四聲八調的依據，反而可推論出《切韻》的聲調只有四種。蘇州話清濁聲母雖然同時有陰陽調之分，但我們不能就說《切韻》也是這樣情況。蘇州話陰陽調的差距甚大，既有音高的差別，又有調型的不同，如陰平是個4度的平調，而陽平是2到4度的升調；又如陰去是高降升調，陽去是低平降調。蘇州話陰陽調差異如此大，宜分爲兩類。倘若《切韻》如蘇州話一樣四聲各分陰陽，而陰陽調值差別顯著，編者必能察而辨之，另分韻部。今《切韻》只有平上去入四聲，而沒有再分陰陽韻部，可見附麗於清濁的陰陽調（倘若有的話），其差別必不大，甚或完全沒有差異。沒有差異其實就是平上去入沒有陰陽分別；差別不大，可能只是音高的不同，沒有改變調型。這只是理論上的假設，《切韻》四聲未必各具兩種不同音高的調類。即使眞有音高的差別，在《切韻》而言，這種差異是沒有意義，但在現代廣州話而言，這種差異，甚爲重要。

廣州話四聲各分陰陽調，入聲陰調更有兩種。陰聲調爲高音類，陽聲調爲低音類，某聲的陰陽兩調，只有音高的差異，而調型一樣，沒有分別。陰陽聲調在辨別字義上非常重要，如要辨別“詩”[si ˦˧]和“時”[si ˨˩]的意義，不能靠聲母，也不能靠韻母，只能靠聲調。而二字聲調差別，又不在曲折升降的不同變化，而只在於音的高低。所以讀[si]時，引吭由5度降至3度則爲“詩”，如果保持整個音的形象（降）不變，只把音階降低3度，便會變成“時”了。音高的變化在廣州話能起辨字作用，其重要性足以使四聲另分陰陽調類。但音高應用於《切韻》中，則毫無意義，如《切韻》平聲"詩"音[ɕi]，"時"音[ʑi]，辨別言兩個字意義是靠聲母ɕ和ʑ的不同，至於唸這兩個字時，引吭而使讀音高昂，或者抑喉而使發聲低沉，於辨義上則無關宏旨。可見陰陽的運用在《切韻》中作用不大。

總之，《切韻》一書，只有平上去入四聲，即只有四種調類或調型。清濁聲母縱然同時有音高的分別（不一定有），也因高低音無辨字功能，無須另立類別。本書仍以平上去入爲《切韻》的四種調類。至於平上去入的性質如何，則因文獻不足徵，不想揣度。一般以爲平聲爲平調，上聲爲升調，去聲爲降調或降升調，而入聲爲促調[七]。是可信耶？待日後詳辯。

[七] 邵榮芬《切韻研究》,頁136。

第五章　《切韻》聲韻及四聲音節總表

＜甲＞　《切韻》聲韻及四聲音節總表釋例

(一) 本表的聲母韻母及其音值，是上四章研究的總成果。音值是以國際音標註音。

(二) 本表的音節字，是採自《切韻》每小韻的第一字。《切韻》的小韻及其反切，是以故宮宋濂跋本王仁昫《刊謬補缺切韻》（全王本）爲底本，校之以諸本《切韻》殘卷。《全王》的小韻，其字有可疑者，則參校《說文》、《廣韻》、《集韻》等字音書，摘其可取而用之，並註明出處。若較《全王》早出的《切韻》本子，其切語用字異於《全王》，但無變改聲韻系統者，則依較早的本子，如“支”韻“鈹”字，《全王》敷羈反，《切三》普羈反。敷、普同類，本表用普羈反，但不註出處。若較早的本子，其切語用字不僅異於《全王》，且聲韻類屬殊趣者，則參考韻圖及其他資料，才作決定，並註明出處。如“紙”韻“舓”字，《全王》食紙反，《切三》倉氏反。倉，精紐；食，神紐，不同類。據各本知《切三》倉字誤，因改以食氏反。

(三) 本表仿照等韻圖方式製作，特點在：(1) 可明聲韻拼合情況。如一等韻只與齒音中的“精”系紐相拼；三等韻拼“莊”系、“章”系及“精”系紐。(2) 可明各韻在韻圖出現的等列。如二等“江”韻，只出現在韻圖二等位置；三等“支”

韻出現在二、三、四等位置。(3) 可明韻與韻之間的親疏關係。同攝諸韻，韻母比較相近；既同攝又同圖，關係尤近。

（四）韻目依王仁昫《刊謬補缺切韻》。王韻 195 韻，較法言原本多上聲五十一“广”、去聲五十六“嚴”二韻。入聲的陰陽相配，依《七音略》與《韻鏡》。韻之歸攝，則依《經史正音切韻指南》。

（五）各韻所屬之類別，見本文第三章第一即＜甲＞部《切韻》韻部的分類。

（六）所謂等韻者，即韻之眞等別，如“支”韻是三等韻，雖然在韻圖上出現在二三四等列中，但它的眞等別是三等。凡同韻、同等別的字，除開合和重紐外，雖然置在不同等列中，其韻母的音值則完全相同。之所以置在不同等列，示聲紐之不同。

（七）所謂相配之舌音，即某韻與何組舌音相拼。舌音有舌尖音：端 t、透 t'、定 d、泥 n與舌上音：知 ʈ、徹 ʈ'、澄 ɖ、娘 ɳ兩組。一等韻只與舌尖音相拼；三等韻主要與舌上音相拼，也有與舌尖音相拼的。其相配情況，盡列明在欄中，一目了然。“相配之齒音”欄，情況相同。

（八）凡稱 ʈ 系或 ts 系者，表示該韻與 ʈ 組紐（知 ʈ、徹 ʈ'、澄 ɖ、娘 ɳ）或 ts 組（精 ts、清 ts'、從 dz、心 s、邪 z）紐兩個或以上的聲紐相拼；若只與某組之一個聲紐相拼，則寫明其紐名。tʃ 系和 tɕ 系所表之意亦同。

（九）備註引龍宇純語，出自《唐寫全本王仁昫刊謬補缺切韻校箋》；引周祖謨語，出自《廣韻校勘記》。

<乙> 《切韻》音標發音方法表

	發音方法＼部位		雙唇音	舌尖齒齦	舌葉前顎	舌面中顎	舌面後顎	舌根	喉
輔音	塞音	清	p	t	ȶ			k	ʔ
		濁	b	d	ȡ			g	
	鼻	濁	m	n	ȵ			ŋ	
	邊	濁		l					
	擦音	清		s	ʃ	ç		x	
		濁		z	ʒ	ʑ	j	ɣ	
	半元音	濁					ɪ		

	前後		前	央	後
元音	高	最高	i		u
		次高			
		中高	e		o
		正中		ə	
	低	中低	ɛ		ɔ
		次低	æ		
		最低	a	A	ɑ
	脣		展	展	圓

備註

(1)"知"組聲妞用ȶ等音標者,非以"知"爲舌面音,特因舌葉音無適當的符號,故借用之。

(2)《切韻》所用的塞擦音有ts, dz, tʃ, dʒ, dʑ,和tç

(3) 鼻擦音有: ȵʑ

(4) 送氣音有 p‘, t‘, ȶ‘, k‘, ts‘, tʃ‘, tç‘

〈丙〉 《切韻》聲韻及四聲音節總表

聲調	韻攝	韻目	類別	開合	等韻	等列	相配 舌	相配 齒	\聲值 韻值\	p 幫	p' 滂	b 並	m 明	t \ ȶ 端 \ 知
平聲	通攝	一東	獨韻	開	一	1	t 系	ts 系	oŋ			boŋ 蓬薄紅	moŋ 蒙莫紅	toŋ 東德紅
				開	三	2		tʃ 系						
						3	ȶ 系	tɕ 系	ɪoŋ	pɪoŋ 風方隆	p'ɪoŋ 豐敷隆	bɪoŋ 馮扶隆	mɪoŋ 瞢莫中	ȶɪoŋ 中陟隆
						4		ts 系						
上聲	通攝	一董	獨韻	開	一	1	t 系	ts 系	oŋ	poŋ 琫方孔		boŋ 菶蒲蠓	moŋ 蠓莫孔	toŋ 董多動
								tʃ 系						
							ȶ 系	tɕ 系	ɪoŋ					
								ts 系						
去聲	通攝	一送	獨韻	開	一	1	t 系	ts 系	oŋ				moŋ 幪莫弄	toŋ 涷多貢
				開	三	2		tʃ 系						
						3	ȶ 系	tɕ 系	ɪoŋ	pɪoŋ 諷方鳳	p'ɪoŋ 賵撫鳳	bɪoŋ* 鳳馮貢	mɪoŋ 夢莫鳳	ȶɪoŋ 中陟仲
						4		ts 系						
入聲	通攝	一屋	獨韻	開	一	1	t 系	ts 系	ok	pok 卜博木	p'ok 扑普木	bok 曝蒲木	mok 木莫卜	tok* 穀丁木
				開	三	2		tʃ 系						
						3	ȶ 系	tɕ 系	ɪok	pɪok 福方六	p'ɪok 蝮芳伏	bɪok 伏房六	mɪok 目莫六	ȶɪok 竹陟六
						4		ts 系						

t'\ʈ' 透\徹	d\ɖ 定\澄	n\ɳ 泥\娘	k 見	k' 溪	g 群	ŋ 疑	ts\tʃ\tɕ 精\莊\章	ts'\tʃ'\tɕ' 清\初\昌
t'oŋ 通他紅	doŋ 同楚紅		koŋ 公古紅	k'oŋ 空苦紅			tsoŋ 嵏子紅	ts'oŋ 怱倉紅
								tʃ'ɪoŋ 忡初中*
	ɖɪoŋ 蟲直隆		kɪoŋ 弓居隆	k'ɪoŋ 穹去隆	gɪoŋ 窮渠隆		tɕɪoŋ 終職隆	tɕ'ɪoŋ 充處隆
t'oŋ 侗他孔	doŋ 動徒揔	noŋ 䵶奴動		k'oŋ 孔康董			tsoŋ 揔作孔	
t'oŋ 痛他弄	doŋ 洞徒弄	noŋ 齈奴凍	koŋ 貢古送	k'oŋ 控苦貢			tsoŋ 糉作弄	ts'oŋ 謥千弄
	ɖɪoŋ 仲直眾			k'ɪoŋ 焪去諷			tɕɪoŋ 眾之仲	tɕ'ɪoŋ 銃充仲
								ts'ɪoŋ 趥千仲
t'ok 禿他谷	dok 獨徒谷		kok 穀古鹿	k'ok 哭空谷			tsok 鏃作木	ts'ok 瘯千木
							tʃɪoŋ 縬側六	tʃ'ɪoŋ 珿初六
ʈ'ɪok 福丑六	ɖɪok 逐直六	ɳɪok 朒女六	kɪok 菊舉竹	k'ɪok 麴驅竹	gɪok* 驧渠竹		tɕɪok 粥之六	tɕ'ɪok 俶昌六
							tsok 蹙子六	ts'ok [illegible]取育

dz\dʒ\dʑ 從\崇\禪	s\ʃ\ɕ 心\山\書	z\ʒ\ʑ 邪\俟\船	x 曉	ɣ 匣	ʔ 影	j 喻	l 來	ȵʑ 日	反切下字
dzoŋ 叢徂紅	soŋ 檧蘇公		xoŋ 烘呼同	ɣoŋ 洪胡籠	ʔoŋ 翁烏紅		loŋ 籠盧紅		紅同公籠
dʒɪoŋ 崇鋤隆									
				ɣɪoŋ 雄羽隆			lɪoŋ 隆力中	ȵʑɪoŋ 戎而隆	隆中
	sɪoŋ 嵩息隆					jɪoŋ 融餘隆			
	soŋ 敵先揔			ɣoŋ 澒胡孔	ʔoŋ 蓊阿孔		loŋ 曨力董		動孔董揔蠓
	soŋ 送蘇弄		xoŋ 䜑呼貢	ɣoŋ 哄胡貢	ʔoŋ 甕烏貢		loŋ 弄盧貢		弄貢送凍
dʒɪoŋ 剿士仲									
			xɪoŋ 趬香仲						鳳諷眾仲(貢)
dzok 族昨木	sok 束送谷		xok 殼呼木	ɣok 縠胡谷	ʔok 屋烏谷		lok 祿盧谷		谷木卜鹿
	ʃɪok 縮所六								
dʑɪok 孰殊六	ɕɪok 叔式竹		xɪok 蓄許六	ɣɪok 囿于目	ʔɪok 郁於六		lɪok 六力竹	ȵʑɪok 肉如竹	六竹逐育伏目
	sɪok 肅息逐					jɪok 育與逐			

調	韻攝	韻目	類別	開合	等韻	等列	相配 舌	相配 齒	聲值\韻值	p 幫	p‘ 滂	b 並	m 明	t \ ȶ 端 \ 知
平聲	通攝	二冬	獨韻	合	一	1	t系	ts系	uŋ					tuŋ 冬都宗
		三鍾	獨韻	合	三	2		tʃ系						
						3	ȶ系	tɕ系	ɪuŋ	pɪuŋ 封府容	p‘ɪuŋ 峰敷容	bɪuŋ 逢符容		
						4		ts系						
上聲	通攝	無目	獨韻	合	一	1	t系	ts系	uŋ				muŋ* 䳉莫湩	tuŋ 湩都隴 *
		二腫	獨韻	合	三	2		tʃ系						
						3	ȶ系	tɕ系	ɪuŋ	pɪuŋ 覂方奉	p‘ɪuŋ 捧敷隴	bɪuŋ 奉扶隴		ȶ ɪ u ŋ 冢知隴
						4		ts系						
去聲	通攝	二宋	獨韻	合	一	1	t系	ts系	uŋ				muŋ 雺莫綜	
		三用	獨韻	合	三	2		tʃ系						
						3	ȶ系	tɕ系	ɪuŋ	pɪuŋ 葑方用		bɪuŋ 俸房用		ȶ ɪ u ŋ 湩竹用
						4		ts系						
入聲	通攝	二沃	獨韻	合	一	1	t系	ts系	uk			buk 僕蒲沃	muk 瑁莫沃	tuk 篤冬毒
		三燭	獨韻	合	三	2		tʃ系						
						3	ȶ系	tɕ系	ɪuk	pɪuk 纀封曲		bɪuk 幞房玉		ȶ ɪ u k 瘃陟玉
						4		ts系						

t'\ʈ' 透\徹	d\ɖ 定\澄	n\ɳ 泥\娘	k 見	k' 溪	g 群	ŋ 疑	ts\tʃ\ ɕ 精\莊\章	ts'\tʃ'\t ɕ' 清\初\昌
	duŋ 彤徒冬	nuŋ 農奴冬	kuŋ 攻古冬				tsuŋ 宗作琮	
ʈ 'ɪuŋ 踵丑匈	ɖ ɪuŋ 重治容	ɳ ɪuŋ 醲女容	kɪuŋ* 恭駒冬		gɪuŋ 蛩渠容	ŋɪuŋ 顒魚容	t ɕ ɪuŋ 鍾職容	t ɕ 'ɪuŋ 衝尺容
							tsɪuŋ 縱即容	ts'ɪuŋ 樅七恭
ʈ 'ɪuŋ 寵丑隴	ɖ ɪuŋ 重直隴		kɪuŋ 拱居悚	k'ɪuŋ 恐墟隴	gɪuŋ 梁渠隴		t ɕ ɪuŋ 腫之隴	t ɕ 'ɪuŋ 難充隴
							tsɪuŋ 縱子冢	ts'ɪuŋ 慫且勇
t'uŋ 統他宋							tsuŋ 綜子宋	
ʈ 'ɪuŋ 蹖丑用	ɖ ɪuŋ 重持用		kɪuŋ 供居用	k'ɪuŋ 恐區用	gɪuŋ 共渠用		t ɕ ɪuŋ 種之用	
							tsɪuŋ 縱子用	
	duk 毒徒沃		kuk 梏古沃	k'uk 酷苦沃			tsuk 傶將毒	
ʈ 'ɪuk 楝丑錄	ɖ ɪuk 躅直錄		kɪuk 輂居玉	k'ɪuk 曲起玉	gɪuŋ 局渠玉	ŋɪuk 玉語欲	t ɕ ɪuk 燭之欲	t ɕ 'ɪuk 觸尺玉
							tsɪuk 足即玉	tsɪuk 促七玉

dz\dʒ\dʑ 從\崇\禪	s\ʃ\ɕ 心\山\書	z\ʒ\ʑ 邪\俟\船	x 曉	ɣ 匣	ʔ 影	j 喻	l 來	ȵʑ 日	反切下字
dzuŋ 賨在宗				ɣuŋ 䂫戶冬			luŋ 隆力宗		恭冬 宗琮
									(冬)
dʑiuŋ 鱅蜀容	ɕiuŋ 舂書容		xiuŋ 胸許容		ʔiuŋ 邕於容		liuŋ 龍力鍾	ȵʑiuŋ 茸而容	鍾容 匈封
dziuŋ 從疾容	siuŋ 蜙先恭*	ziuŋ 松詳容				jiuŋ 容餘封			(恭)
									湩 (隴)
									隴奉
dʑiuŋ 尰時冗			xiuŋ 洶許拱		ʔiuŋ 擁於隴		liuŋ 隴力奉	ȵʑiuŋ 冗而隴	冗勇 冢悚
	siuŋ 悚息拱					jiuŋ 勇餘隴			拱
	suŋ 宗蘇統			ɣuŋ 䂫戶宋					統宋 綜
					ʔiuŋ 雍於用		liuŋ 贚良用	ȵʑiuŋ 䩕而用	共用
dziuŋ 從疾用		ziuŋ 頌似用				jiuŋ 用余共			
	suk 洬先篤		xuk 熇火酷	ɣuk 鵠胡沃	ʔuk 沃烏酷			ȵʑuŋ 褥內沃	酷沃 毒篤
dʑiuk 蜀市玉	ɕiuk 束書蜀	ʑiuk 贖神燭	xiuk 旭許玉				liuk 錄力玉	ȵʑiuk 辱而蜀	錄蜀 曲欲
	siuk 粟相玉	ziuk 續似玉				jiuk 欲余蜀			玉燭

聲調	韻攝	韻目	類別	開合	等韻	等列	相配 舌	相配 齒	\聲值 韻值\	p 幫	p' 滂	b 並	m 明	t \ ȶ 端 \ 知
平聲	江攝	四江	獨韻	開	二	2	端紐ȶ系	tʃ系	ɔŋ	pɔŋ 邦博江	p'ɔŋ 胮匹江	bɔŋ 龐薄江	mɔŋ 厖莫江	tɔŋ 椿都江
上聲	江攝	三講	獨韻	開	二	2	端紐ȶ系	tʃ系	ɔŋ			bɔŋ 棒步項	mɔŋ 㤚武項	
去聲	江攝	四絳	獨韻	開	二	2	端紐ȶ系	tʃ系	ɔŋ		p'ɔŋ 胖普降			tɔŋ 戇丁降
入聲	江攝	四覺	獨韻	開	二	2	端紐ȶ系	tʃ系	ɔk	pɔk 剝北角	p'ɔk 璞匹角	bɔk 雹蒲角	mɔk 邈莫角	tɔk 斵丁角

t'\ȶ' 透\徹	d\ȡ 定\澄	n\ȵ 泥\娘	k 見	k' 溪	g 群	ŋ 疑	ts\tʃ\tɕ 精\莊\章	ts'\tʃ'\tɕ' 清\初\昌
ȶ'ɔŋ 惷丑江	ȡɔŋ 幢宅江	ȵɔŋ 䁸女江	kɔŋ 江古雙	k'ɔŋ 腔苦江				tʃ'ɔŋ 窓楚江
			kɔŋ 講古項					
	ȡɔŋ 䡴直降		kɔŋ 絳古巷					tʃ'ɔŋ 稯叉降
ȶ'ɔk 逴敕角	ȡɔk 濁直角	ȵɔk 搦女角	kɔk 覺古嶽	k'ɔk 㱿苦角		ŋɔk 嶽五角	tʃɔk 捉側角	tʃ'ɔk 娖測角

dz\dʒ\dʑ 從\崇\禪	s\ʃ\ɕ 心\山\書	z\ʒ\ʑ 邪\俟\船	x 曉	ɣ 匣	ʔ 影	j 喻	l 來	ȵ ʑ 日	反切下字
	ʃɔŋ 雙所江		xɔŋ 肛許江	ɣɔŋ 栙下江			lɔŋ 瀧呂江		雙江
				ɣɔŋ 項胡講	ʔɔŋ 慃烏項				項講
dʒɔŋ 漴士降				ɣɔŋ 巷胡絳					巷降絳
dʒɔk 浞士角	ʃɔk 朔所角		xɔk 吒許角	ɣɔk 學戶角	ʔɔk 渥於角		lɔk 犖呂角		嶽角

調	韻攝	韻目	類別	開合	等韻	等列	相配 舌	相配 齒	\聲值 韻值\	p 幫	p‘ 滂	b 並	m 明	t \ ȶ 端 \ 知
平聲														
	止攝	五支	合韻(重紐)	開	三	2		tʃ 系						
						3	ȶ 系	tɕ 系	B ɪe	pɪe 陂彼爲	p‘ɪe 鈹敷羈	bɪe 皮符羈	mɪe 糜靡爲	ȶ ɪe 知陟移
						4		ts 系	A ie	pie 卑府移		bie 陴符支	mie 弥武移	
上聲														
	止攝	四紙	合韻(重紐)	開	三	2		tʃ 系						
						3	ȶ 系	tɕ 系	B ɪe	pɪe 彼甫委	p‘ɪe 𣧑匹靡	bɪe 被皮彼	mɪe 靡文彼	ȶ ɪe 𢭏 陟移
						4		ts 系	A ie	pie 俾卑婢	p‘ie 諀匹婢	bie 婢便俾	mie 渳民婢	
去聲														
	止攝	五寘	合韻(重紐)	開	三	2		tʃ 系						
						3	ȶ 系	tɕ 系	B ɪe	pɪe 賁彼義	p‘ɪe 帔披義	bɪe 髲皮義	mɪe 糜靡義	ȶ ɪe 知知義
						4		ts 系	A ie	pie 臂卑義	p‘ie 譬疋義	bie 避婢義		

tʻ\ʈʻ 透\徹	d\ɖ 定\澄	n\ȵ 泥\娘	k 見	kʻ 溪	g 群	ŋ 疑	ts\tʃ\tɕ 精\莊\章	tsʻ\tʃʻ\tɕʻ 清\初\昌
								tʃʻɪe 差楚宜
ʈʻɪe 摛丑知	ɖɪe 馳直知		kɪe 羈居宜	kʻɪe 鈘去奇	gɪe 奇渠羈	ŋɪe 宜魚羈	tɕɪe 支章移	tɕʻɪe 眵叱支
					gie 祇巨支		tsɪe 貲即移	tsʻɪe 雌七移
							tʃɪe 批側氏	
ʈʻɪe 褫敕豸	ɖɪe 豸池尔	ȵɪe 狔女氏	kɪe 掎居綺	kʻɪe 綺墟彼	gɪe 技渠綺	ŋɪe 螘魚倚	tɕɪe 紙諸氏	tɕʻɪe 侈尺氏
							tsɪe 紫茲尔	tsʻɪe 此雌氏
			kɪe 寄居義		gɪe 芰奇寄	ŋɪe 議宜寄	tɕɪe 寘支義	tɕʻɪe 翅充豉
			kie 馶舉企	kʻie 企去智				tsʻɪe 刺此豉

dz\dʒ\dʑ 從\崇\禪	s\ʃ\ɕ 心\山\書	z\ʒ\ʑ 邪\俟\船	x 曉	ɣ 匣	ʔ 影	j 喻	l 來	ɳʑ 日	反切下字
	ʃɪe 釃所宜								宜奇 鸝移
dʑɪe 提是支	ɕɪe 絁式支	ʑɪe 疧疾移	xɪe 犧許羈		ʔɪe 漪於離		lɪe 離呂移	ɳʑɪe 兒如移	知離 支
	sɪe 斯息移		xie 訑香支			jɪe 移弋支			(爲)
	ʃɪe 躧所綺								綺彼 倚侈
dʑɪe 是承紙	ɕɪe 弛式氏	ʑɪe* 舐食氏	xɪe [illegible]興倚		ʔɪe 倚於綺		lɪe 邐力氏	ɳʑɪe 爾兒氏	豸尔 氏靡
	sɪe 徙斯氏					jɪe 酏移尔			紙婢 俾委
	ʃɪe 屣所寄								
dʑɪe 豉是義	ɕɪe 翅施智	ʑɪe 傷神豉	xɪe 戲羲義		ʔɪe 倚於義		lɪe 詈力智		義寄 豉智
dzɪe 漬在智	sɪe 賜斯義				ʔie 縊於賜	jɪe 易以豉			賜企

聲調	韻攝	韻目	類別	開合	等韻	等列	相配 舌	相配 齒	\聲值 韻值\	p 幫	p' 滂	b 並	m 明	t \ ȶ 端 \ 知
平						2		tʃ 系						
聲	止攝	五支	合韻 (重紐)	合	三	3	ȶ 系	tɕ 系	B Iue					ȶ Iue 腄竹垂
						4		ts 系	A iue					
上						2		初紐						
聲	止攝	四紙	合韻 (重紐)	合	三	3		章紐	B Iue					
						4		ts 系	A iue					
去						2		tʃ 系						
聲	止攝	五寘	合韻 (重紐)	合	三	3	ȶ 系	tɕ 系	B Iue					ȶ Iue 娷竹恚
						4		心紐	A iue					

t' \ ʈ ' 透 \ 徹	d \ ɖ 定 \ 澄	n \ ɳ 泥 \ 娘	k 見	k' 溪	g 群	ŋ 疑	ts\ tʃ\t ɕ 精\莊\章	ts'\ tʃ' \t ɕ ' 清 \初 \昌
							tʃ ɪue 厜姊規	
	ɖ ɪue 鬌直垂		kɪue 媯君爲	k'ɪue 虧去爲		ŋɪue 危魚爲	t ɕ ɪue 腄之垂 *	t ɕ 'ɪue 吹昌爲
			kiue 槻居隨	k'iue 闚去隨			tsɪue 劑觜爲	
								tʃ' ɪue 揣初委
			kɪue 詭居委	k'ɪue 跪去委	gɪue 䞈求累	ŋɪue 硊魚毀	t ɕ ɪue 捶之累	
				k'iue 跬去弭			ts ɪue 觜即委 *	
	ɖ ɪue 縋池累	ɳ ɪue 諉女恚	kɪue [illegible]詭僞			ŋɪue 僞危賜	t ɕ ɪue 惴之睡	t ɕ 'ɪue 吹尺僞
				k'iue 觖窺瑞				

dz\dʒ\dʑ 從\崇\禪	s\ʃ\ɕ 心\山\書	z\ʒ\ʑ 邪\俟\船	x 曉	ɣ 匣	ʔ 影	j 喻	l 來	ȵʑ 日	反切下字
	ʃIue 衰楚危								爲垂規危隨(支)
dʑIue 垂是爲	ɕIue 韉山垂		xIue 麾許爲	ɣIue 爲薳支	ʔIue 逶於爲		lIue 羸力爲	ȵʑIue 痿人垂	
	sIue 眭息爲	zIue 隨旬爲	xiue 隳許隨						
									委累毀捶詭髓(弭)
			xIue 毀許委	ɣIue 蔿爲委	ʔIue 委於詭		lIue 累力委	ȵʑIue 蘂而髓	
dzIue 惢才捶	sIue 髓息委								
									僞恚累睡瑞(賜)(避)
dʑIue 睡是僞				ɣIue 爲榮僞	ʔIue 餧於僞		lIue 累羸僞	ȵʑIue 枘而睡	
	sIue 瀡思累				ʔiue 恚於避	jIue 瓗以睡			

聲調	韻攝	韻目	類別	開合	等韻	等列	相配 舌	相配 齒	聲值＼韻值	p 幫	p' 滂	b 並	m 明	t＼ʈ 端＼知
						2		山紐						
平聲	止攝	六脂	合韻（重紐）	開	三	3	ʈ系	tɕ系	B ɪei	pɪei 悲府眉	p'ɪei 丕敷悲	bɪei 邳符悲	mɪei 眉武悲	tɪei 胝丁私
						4	（端紐）	ts系	A iei		p'iei 紕匹夷	biei 毗房脂		
上聲	止攝	五旨	合韻（重紐）	開	三	3	ʈ系	tɕ系	B ɪei	pɪei 鄙方美	p'ɪei* 嚭匹鄙	bɪei 否符鄙	mɪei 美無鄙	tɪei 黹胝几
						4	（端紐）	ts系	A iei	piei 匕卑履		biei 牝扶履		
去聲	止攝	六至	合韻（重紐）	開	三	3	ʈ系	tɕ系	B ɪei	pɪei 秘鄙眉	p'ɪei 濞匹備	bɪei 備平祕	mɪei 郿美祕	ʈɪei 致陟利
						4	（定紐）	ts系	A iei	piei 痺必至	p'iei 屁匹鼻	biei 鼻毗四	miei 寐彌二	

t'\ʈ' 透\徹	d\ɖ 定\澄	n\ȵ 泥\娘	k 見	k' 溪	g 群	ŋ 疑	ts\tʃ\tɕ 精\莊\章	ts'\tʃ'\tɕ' 清\初\昌
ʈ'ɪei 絺丑脂	ɖɪei 墀直尼	ȵɪei 尼女脂	kɪei 飢居脂		gɪei 鬐渠脂	ŋɪei 狋牛肌	tɕɪei 脂旨夷	tɕ'ɪei 鴟處脂
							tsɪei 咨即脂	ts'ɪei 郪取私
ʈ'ɪei 𡳾絺履	ɖɪei 雉直几	ȵɪei 柅女履	kɪei 几居履		gɪei 跽暨几		tɕɪei 旨職雉	
							tsɪei 姊將几	
ʈ'ɪei 屎丑利	ɖɪei 緻直利	ȵɪei 膩女利	kɪei 冀几利	k'ɪei 器去冀	gɪei 臮其器	ŋɪei 劓魚器	tɕɪei 至脂利	tɕ'ɪei 痓充至
	dɪei 地徒四			k'iei 弃詰利			tsɪei 恣資四	ts'ɪei 次七四

dz\dʒ\dʑ 從\崇\禪	s\ʃ\ɕ 心\山\書	z\ʒ\ʑ 邪\俟\船	x 曉	ɣ 匣	ʔ 影	j 喻	l 來	ȵʑ 日	反切下字
	ʃɪei 師踈脂								脂 肌 私尼 悲夷 眉
	ɕɪei 尸式脂				ʔɪei 伊於脂		lɪei 梨力脂		
dzɪei 茨疾脂	sɪei 私息脂					jɪei 姨以脂			
									履 几 美 鄙 雉 規 旨 姊
dʑɪei 視承旨	ɕɪei 矢式規				ʔɪei 歖於几		lɪei 履力几		
	sɪei 死息姊	zɪei 兕徐姊							
									利 冀 器 四 媚 備 祕 至 鼻 二
dʑɪei 嗜常利	ɕɪei 屍矢利	ʑɪei 示神至	xɪei 齂許器		ʔɪei 懿乙利		lɪei 利力至	ȵʑɪei 二而至	
dzɪei 自疾二	sɪei 四息利		xiei 瞲許鼻			jɪei 肄羊至			

聲調	韻攝	韻目	類別	開合	等韻	等列	相配		\聲值 韻值\	p 幫	p' 滂	b 並	m 明	t \ ʈ 端 \ 知
							舌	齒						
平	止	六	合			2		山紐						
聲	攝	脂	韻	合	三	3	ʈ系	tɕ系	B ɪuei					ʈɪuei 追陟隹
			(重紐)			4		ts系	A iuei					
上	止	五	合			2		/						
聲	攝	旨	韻	合	三	3	/	書紐	B ɪuei					
			(重紐)			4		ts系	A iuei					
去	止	六	合			2		tʃ系						
聲	攝	至	韻	合	三	3	ʈ系	昌紐	B ɪuei					ʈɪuei 轛追頹
			(重紐)			4		ts系	A iuei					

t'\ʈ' 透\徹	d\ɖ 定\澄	n\ɳ 泥\娘	k 見	k' 溪	g 群	ŋ 疑	ts\tʃ\tɕ 精\莊\章	ts'\tʃ'\tɕ' 清\初\昌
	ɖɪuei 鎚直追		kɪuei 龜居追	k'ɪuei 巋丘追	gɪuei 逵渠追		tɕɪuei 錐職追	tɕ'ɪuei 推尺隹
					giuei 葵渠隹		tsɪuei 嶊醉唯	
			kɪuei* 軌居洧					
			kiuei 癸居誄		giuei 揆葵癸		tsɪuei 濢遵誄	ts'ɪuei 趡千水
								tʃ'ɪuei 敊楚類 *
	ɖɪuei 墜直類		kɪuei 愧軌位	k'ɪuei 喟丘愧	gɪuei 匱逵位			tɕ'ɪuei 出尺類
			kiuei 季癸悸		giuei 悸其季		tsɪuei 醉將遂	ts'ɪuei 翠七醉

dz\dʒ\dʑ 從\崇\禪	s\ʃ\ɕ 心\山\書	z\ʒ\ʑ 邪\俟\船	x 曉	ɣ 匣	ʔ 影	j 喻	l 來	ȵʑ 日	反切 下字
	ʃɪuei 衰所追								追隹
dʑɪuei 誰視隹			xɪuei 倠許維	ɣɪuei 帷洧悲			lɪuei 纍力追	ȵʑɪuei 蕤儒隹	唯遺 維悲
	sɪuei 綏息遺					jɪuei 惟以隹			
	ɕɪuei 水式宄		xɪuei * [illegible]許癸	ɣɪuei 洧榮美			lɪuei 壘力宄	ȵʑɪuei 蕊如壘	洧宄藟 誄水
dzɪuei 嶵徂壘						jɪuei 唯以水			壘癸 (美)
	ʃɪuei 帥所類								位愧 頪醉
			xɪuei 豷許位	ɣɪuei * 位洧冀			lɪuei 類力遂		類遂 季悸
dzɪuei 萃疾醉	sɪuei 邃雖遂	zɪuei 遂徐醉	xiuei 侐火季			jɪuei 遺以醉			(冀)

聲調	韻攝	韻目	類別	開合	等韻	等列	相配 舌	相配 齒	\聲值 韻值\	p 幫	pʻ 滂	b 並	m 明	t \ ʈ 端 \ 知
平聲	止攝	七之	獨韻	開	三	2		tʃ系						
						3	ʈ系	tɕ系	ɪi					
						4		ts系						
上聲	止攝	六止	獨韻	開	三	2		tʃ系						
						3	ʈ系	tɕ系	ɪi					ʈɪi 徵陟里
						4		ts系						
去聲	止攝	七至	獨韻	開	三	2		tʃ系						
						3	ʈ系	tɕ系	ɪi					ʈɪi 置陟吏
						4		ts系						

t‘\ʈ‘ 透\徹	d\ɖ 定\澄	n\ɳ 泥\娘	k 見	k‘ 溪	g 群	ŋ 疑	ts\tʃ\tç 精\莊\章	ts‘\tʃ‘\tç‘ 清\初\昌
							tʃɪi 甾側持	tʃ‘ɪi 輜楚治
ʈ‘ɪi 痴丑之	ɖɪi 治直之		kɪi 姬居之	k‘ɪi 欺去其	gɪi 其渠之	ŋɪi 疑語基	tçɪi 之止而	tç‘ɪi 蚩赤之
							tsɪi 茲子之	
							tʃɪi 滓側子	tʃ‘ɪi 剩初紀 *
ʈ‘ɪi 恥敕里	ɖɪi 峙直里		kɪi 紀居似	k‘ɪi 起墟里		ŋɪi 擬魚紀	tçɪi 止諸市	tç‘ɪi 齒昌里
							tsɪi 子即里	
							tʃɪi 胾側吏	tʃ‘ɪi 廁初吏
ʈ‘ɪi 眙丑吏	ɖɪi 值直吏		kɪi 記居吏	k‘ɪi 亟去吏	gɪi 忌渠記	ŋɪi [illegible]魚記	tçɪi 志之吏	tç‘ɪi 熾尺志
								ts‘ɪi 蛓七吏

dz\dʒ\dʑ 從\崇\禪	s\ʃ\ɕ 心\山\書	z\ʒ\ʑ 邪\俟\船	x 曉	ɣ 匣	ʔ 影	j 喻	l 來	ɲʑ 日	反切下字
dʒɪi 茬士之		ʒɪi 漦俟之							之其基持而治茲
dʑɪi 時市之	ɕɪi 詩書之		xɪi 僖許其		ʔɪi 醫於其		lɪi 釐理之	ɲʑɪi 而如之	
dzɪi 慈疾之	sɪi 思息茲	zɪi 詞似茲				jɪi 飴与之			
dʒɪi 士鋤里	ʃɪi 史疎士	ʒɪi 俟漦史							似里紀李史士市止擬子
dʑɪi 市時止	ɕɪi 始詩止		xɪi 喜虛里	ɣɪi 矣于紀	ʔɪi 譩於擬		lɪi 里良士	ɲʑɪi 耳而止	
	sɪi 枲胥里	zɪi 似詳里				jɪi 以羊止			
dʒɪi 事鋤吏	ʃɪi 駛所吏								吏志記置
dʑɪi 侍時吏	ɕɪi 試式吏		xɪi * 憙虛記		ʔɪi 意於記		lɪi 吏力置	ɲʑɪi 餌仍吏	
dzɪi 字疾置	sɪi 笥相吏	zɪi 寺辭吏				jɪi 異餘吏			

聲調	韻攝	韻目	類別	開合	等韻	等列	相配		\聲值	p	p'	b	m	t \ ȶ
							舌	齒	韻值\	幫	滂	並	明	端 \ 知
平聲	止攝	八微	合韻	開	三	3	/	/	ɪəi					
上聲	止攝	七尾	合韻	開	三	3	/	/	ɪəi					
去聲	止攝	八未	合韻	開	三	3	/	/	ɪəi					

tʻ \ ʈʻ 透 \ 徹	d \ ɖ 定 \ 澄	n \ ɳ 泥 \ 娘	k 見	kʻ 溪	g 群	ŋ 疑	ts\ tʃ\tɕ 精\莊\章	tsʻ\ tʃʻ \tɕʻ 清 \初 \昌
			kɪəi 機居希		gɪəi 祈渠希	ŋɪəi 沂魚機		
			kɪəi 蟣居豨	kʻɪəi 豈氣豨		ŋɪəi 顗魚豈		
			kɪəi 既居未	kʻɪəi 氣去既		ŋɪəi 毅魚既		

dz\dʒ\dʑ 從\崇\禪	s\ʃ\ɕ 心\山\書	z\ʒ\ʑ 邪\俟\船	x 曉	ɣ 匣	ʔ 影	j 喻	l 來	ȵ ʑ 日	反切下字
			xɪəi 希虛機		ʔɪəi 依於機				機 希
			xɪəi 狶希豈		ʔɪəi 扆衣豈				狶 豈
			xɪəi 欷許既		ʔɪəi 衣於既				既 未

聲調	韻攝	韻目	類別	開合	等韻	等列	相配 舌	齒	\聲值 韻值\	p 幫	p' 滂	b 並	m 明	t \ ʈ 端 \ 知
平聲	止攝	八微	合韻	合	三	3	/	/	ɪuəi	pɪəi 斐匪肥	p'ɪəi 霏芳非	bɪəi 肥符非	mɪəi 微無非	
上聲	止攝	七尾	合韻	合	三	3	/	/	ɪuəi	pɪəi 匪非尾	p'ɪəi 斐妃尾	bɪəi 膹浮鬼	mɪəi 尾無匪	
去聲	止攝	八未	合韻	合	三	3	/	/	ɪuəi	pɪəi 沸府謂	p'ɪəi 費芳味	bɪəi 䨽扶沸	mɪəi 未無沸	

t'\ȶ' 透\徹	d\ȡ 定\澄	n\ȵ 泥\娘	k 見	k' 溪	g 群	ŋ 疑	ts\tʃ\tç 精\莊\章	ts'\tʃ'\tç' 清\初\昌
			kɪuəi 歸俱韋	k'ɪuəi 蘬丘韋		ŋɪuəi 巍語韋		
			kɪuəi 鬼居偉					
			kɪuəi 貴居謂	k'ɪuəi 檕丘畏		ŋɪuəi 魏魚貴		

dz\dʒ\d ʑ 從\崇\禪	s\ ʃ \ ɕ 心\山\書	z\ ʒ \ ʑ 邪\俟\船	x 曉	ɣ 匣	ʔ 影	j 喻	l 來	ɳ ʑ 日	反切 下字
			xɪuəi 輝許歸	ɣɪuəi 幃王非	ʔ ɪuəi 威於非				韋肥 非歸
			xɪuəi 虺許偉	ɣɪuəi 韙韋鬼	ʔ ɪuəi 磈於鬼				偉尾 鬼匪
			xɪuəi 諱許貴	ɣɪuəi 謂云貴	ʔ ɪuəi 尉於謂				謂畏沸 貴味

聲調	韻攝	韻目	類別	開合	等韻	等列	相配 舌	齒	\聲值 韻值\	p 幫	p' 滂	b 並	m 明	t \ ʈ 端 \ 知
						2		tʃ系						
平聲	遇攝	九魚	獨韻	開	三	3	ʈ系	tɕ系	ɪɔ					ʈɪɔ 猪陟魚
						4		ts系						
						2		tʃ系						
上聲	遇攝	八語	獨韻	開	三	3	ʈ系	tɕ系	ɪɔ					
						4		ts系						
						2		tʃ系						
去聲	遇攝	九御	獨韻	開	三	3	ʈ系	tɕ系	ɪɔ					ʈɪɔ 著張慮
						4		ts系						

tʻ \ ʈʻ 透 \ 徹	d \ ɖ 定 \ 澄	n \ ȵ 泥 \ 娘	k 見	kʻ 溪	g 群	ŋ 疑	ts\ tʃ\t ɕ 精\莊\章	tsʻ\ tʃʻ \t ɕʻ 清 \初 \昌
							tʃɪɔ 菹側魚	tʃʻɪɔ 初楚魚
ʈʻɪɔ 攄勑居	ɖɪɔ 除直魚	ȵɪɔ 袽女余	kɪɔ 居舉魚	kʻɪɔ 墟去魚	gɪɔ 渠強魚	ŋɪɔ 魚語居	tɕɪɔ 諸章魚	
							tsɪɔ 且子魚	tsʻɪɔ 疽七余
							tʃɪɔ 阻側呂	tʃʻɪɔ 楚初舉
ʈɪɔ 楮丑呂	ɖɪɔ 佇除呂	ȵɪɔ 女尼与	kɪɔ 舉居許	kʻɪɔ 去羌舉	gɪɔ 巨其呂	ŋɪɔ 語魚舉	tɕɪɔ 煮諸与	tɕʻɪɔ 杵昌与
							tsɪɔ 苴子与	tsʻɪɔ 跛七与
							tʃɪɔ 詛側據	tʃʻɪɔ 楚初據
ʈʻɪɔ 悇勑慮	ɖɪɔ 筯直據	ȵɪɔ 女娘據 *	kɪɔ 據居御	kʻɪɔ 㰦卻據	gɪɔ 遽渠據	ŋɪɔ 御魚據	tɕɪɔ 翥之據	tɕʻɪɔ 處杵去
							tsɪɔ 怚子據	tsʻɪɔ 覻七慮

dz\dʒ\dʑ 從\崇\禪	s\ʃ\ɕ 心\山\書	z\ʒ\ʑ 邪\俟\船	x 曉	ɣ 匣	ʔ 影	j 喻	l 來	ȵʑ 日	反切 下字
dʒɪɔ 鋤助魚	ʃɪɔ 疎色魚								
dʑɪɔ 蜍署魚	ɕɪɔ 書傷魚		xɪɔ 虛許魚		ʔɪɔ 於央魚		lɪɔ 臚力魚	ȵʑɪɔ 如汝魚	魚居 余餘
	sɪɔ 胥息餘	zɪɔ 徐似魚				jɪɔ 余与魚			
dʒɪɔ 齟鋤呂	ʃɪɔ 所疎舉								
dʑɪɔ 墅署与	ɕɪɔ 暑舒呂		xɪɔ 許虛呂		ʔɪɔ 𢲈於許		lɪɔ 呂力舉	ȵʑɪɔ 汝如与	呂舉 許与 莒
dzɪɔ 咀慈呂	sɪɔ 諝私呂	zɪɔ 敘徐呂				jɪɔ 與余呂			
dʒɪɔ 助鋤據	ʃɪɔ 疏所據								
dʑɪɔ 署常據	ɕɪɔ 恕式據		xɪɔ 嘘虛據		ʔɪɔ 飫於據		lɪɔ 慮力據	ȵʑɪɔ 洳而據	御 據 慮 去
	sɪɔ 絮息據					jɪɔ 豫余據			

聲調	韻攝	韻目	類別	開合	等韻	等列	相配 舌	相配 齒	聲值\韻值	p 幫	p' 滂	b 並	m 明	t \ ʈ 端 \ 知
平聲	遇攝	十一模	獨韻	合	一	1			u	pu 逋博孤	p'u 稗普胡	bu 匍薄胡	mu 模莫胡	tu 都丁胡
		十虞	獨韻	合	三	2		tʃ系						
						3	ʈ系	tɕ系	ɪu	pɪu 跗甫于	p'ɪu 敷撫夫	bɪu 扶附夫	mɪu 無武夫	ʈɪu 株陟輸
						4		ts系						
上聲	遇攝	十姥	獨韻	合	一	1			u	pu 補博戶	p'u 普滂古	bu 簿裴古	mu 姥莫補	tu 覩當古
		九麌	獨韻	合	三	2		tʃ系						
						3	ʈ系	tɕ系	ɪu	pɪu 甫方主	p'ɪu* 撫孚武	bɪu 父扶雨	mɪu 武無主	ʈɪu 駐智主
						4		ts系						
去聲	遇攝	十一暮	獨韻	合	一	1			u	pu 布博故	p'u 怖普故	bu 捕薄故	mu 暮莫故	tu 妬當故
		十遇	獨韻	合	三	2		tʃ系						
						3	ʈ系	tɕ系	ɪu	pɪu 付府遇	p'ɪu 赴撫遇	bɪu 附符遇	mɪu 務武遇	ʈɪu 註中句
						4		ts系						

t‘ \ ʈ‘ 透 \ 徹	d \ ɖ 定 \ 澄	n \ ɳ 泥 \ 娘	k 見	k‘ 溪	g 群	ŋ 疑	ts\ tʃ\t ɕ 精\莊\章	ts‘\ tʃ‘ \t ɕ ‘ 清 \初 \昌
t‘u 瑹他胡	du 徒度都	nu 奴乃胡	ku 孤古胡	k‘u 枯苦胡		ŋu 吾五胡	tsu 租則胡	ts‘u 麁倉胡
								tʃ‘ɪu 芻側隅
ʈ ‘ɪu 貙勅俱	ɖ ɪu 廚直朱		kɪu 拘舉隅	k‘ɪu 區氣俱	gɪu 欨其俱	ŋɪu 虞語俱	t ɕ ɪu 朱止俱	t ɕ ‘ɪu 樞昌朱
							tsɪu 諏子于	ts‘ɪu 趨七朱
t‘u 土他古	du 杜徒古	nu 努奴古	ku 古姑戶	k‘u 苦康杜		ŋu 五伍古	tsu 祖則古	ts‘u 蔖采古
	ɖ ɪu 柱直主		kɪu 矩俱羽	k‘ɪu 齲驅主	gɪu 窶其縷	ŋɪu* 麌虞矩	t ɕ ɪu 主之庾	
								ts‘ɪu 取七庾
t‘u 菟湯故	du 渡徒故	nu 笯乃故	ku 顧古暮	k‘u 袴苦父		ŋu 誤吾故		ts‘u 厝倉故
								tʃ‘ɪu * 菆蒭注
	ɖ ɪu 住持遇		kɪu 屨俱遇	k‘ɪu* 驅匡遇	gɪu 懼其遇	ŋɪu 遇虞樹	t ɕ ɪu 注之戍	
							tsɪu 緅子句	ts‘ɪu 娶七句

dz\dʒ\dʑ 從\崇\禪	s\ʃ\ɕ 心\山\書	z\ʒ\ʑ 邪\俟\船	x 曉	ɣ 匣	ʔ 影	j 喻	l 來	ȵʑ 日	反切下字
dzu 殂昨姑	su 蘇思吾		xu 呼荒烏	ɣu 胡戶吳	ʔu 烏哀都		lu 盧落胡		胡都孤姑吾烏吳
dʒɪu [illegible]士于	ʃɪu 毹山虞								隅俱輸朱于夫俞
dʑɪu 殊市朱	ɕɪu 輸式朱		xɪu 訏況于	ɣɪu 于羽俱	ʔɪu 紆憶俱		lɪu 僂力朱	ȵʑɪu 儒日朱	
	sɪu 鬚相俞					jɪu 逾羊朱			
dzu 粗徂古			xu 虎呼古	ɣu 戶胡古	ʔu 塢烏古		lu 魯郎古		戶杜古補
dʒɪu [illegible]仕禹	ʃɪu 數所矩								羽主縷矩武雨庾禹
dʑɪu 豎殊主			xɪu 詡況羽	ɣɪu 羽于矩	ʔɪu 傴於武		lɪu 縷力主	ȵʑɪu 乳而主	
dzɪu 聚慈庾	sɪu 須思主					jɪu 庾以主			
dzu 祚昨故	su 訴蘇故			ɣu 護胡故	ʔu 汙烏故		lu 路洛故		暮故父
	ʃɪu 捒色句								遇樹句戍注孺
dʑɪu 樹殊遇	ɕɪu 戍傷遇		xɪu 煦香句	ɣɪu 芋羽遇	ʔɪu 嫗紆遇		lɪu 屢李遇	ȵʑɪu 孺而遇	
dzɪu 埾才句	sɪu 尠思句					jɪu 裕羊孺			

聲調	韻攝	韻目	類別	開合	等韻	等列	相配 舌	齒	聲值\韻值	p 幫	p' 滂	b 並	m 明	t \ ȶ 端 \ 知
平聲	蟹攝													
		十三佳	合韻	開	二	2	泥紐徹紐	tʃ系	æi			bæi 牌薄佳	mæi 䁲莫佳	
上聲	蟹攝													
		十二蟹	合韻	開	二	2	泥紐澄紐	tʃ系	æi	pæi 擺北買		bæi 罷薄解	mæi 買莫解	
去聲	蟹攝	十二泰	合韻	開	一	2	t系	清紐	ɑi	pɑi 貝博蓋	p'ɑi 霈普蓋	bɑi 旆薄蓋	mɑi 眛忘艾	tɑi 帶都蓋
		十五卦	合韻	開	二	2	知紐	tʃ系	æi					ȶæi 膪竹賣
		二十廢	合韻	開	三	3	/	/	ɪɐi					

t'\ʈ' 透\徹	d\ɖ 定\澄	n\ɳ 泥\娘	k 見	k' 溪	g 群	ŋ 疑	ts\tʃ\tɕ 精\莊\章	ts'\tʃ'\tɕ' 清\初\昌
ʈ'æi 扠丑佳		næi 猊妳佳	kæi 佳古膎			ŋæi 崖五佳		tʃ'æi 釵楚佳
	ɖæi 豸宅買	næi 妳奴解	kæi 解佳買	k'æi 芀口解		ŋæi 覬牛買	tʃæi 抧側解	
t'ai 泰他蓋	dai 大徒蓋	nai 㮈奴帶	kai 蓋古太	k'ai 礚苦蓋		ŋai 艾五蓋		ts'ai 蔡古蓋
			kæi 懈古隘	k'æi 嫛苦賣		ŋæi 睚五懈	tʃæi 債側賣	tʃ'æi 差楚懈
						ŋɪɐi 刈魚肺		

dz\dʒ\dʑ 從\崇\禪	s\ʃ\ɕ 心\山\書	z\ʒ\ʑ 邪\俟\船	x 曉	ɣ 匣	ʔ 影	j 喻	l 來	ȵ ʑ 日	反切 下字
dʒæi 柴士佳	ʃæi 崽山佳		xæi 詈火佳	ɣæi 膎戶佳	ʔæi 娃於佳				膎 佳
				ɣæi * 蟹鞵買	ʔæi 矮烏解				買解
			xɑi 餀海蓋	ɣɑi 害胡蓋	ʔɑi 藹於蓋		lɑi 賴落蓋		太蓋 帶艾
dʒæi 瘵士懈	ʃæi 曬所賣		xæi 譮許懈	ɣæi 邂胡薢	ʔæi 隘烏懈				隘懈 (賣)薢 (肺)

聲調	韻攝	韻目	類別	開合	等韻	等列	相配 舌	齒	\聲值 韻值\	p 幫	p' 滂	b 並	m 明	t \ ȶ 端 \ 知
平	蟹	十三 佳	合韻	合	二	2	/	/	uæi					
聲	攝													
上	蟹	十二 蟹	合韻	合	二	2	/	/	uæi					
聲	攝													
		十二 泰	合韻	合	一	2	t 系	ts 系	uɑi					tuɑi 祋丁外
去	蟹	十五 卦	合韻	合	二	2	/	/	uæi	pæi* 庍方卦	p'æi 派匹卦	bæi 粺傍卦	mæi 賣莫懈	
		二十 廢	合韻	合	三	3	/	/	ɪu ɐi		p'ɪ ɐi 肺芳廢	bɪ ɐi 吠符廢		
聲	攝													

tʻ\ ʈʻ 透 \ 徹	d \ ɖ 定 \ 澄	n \ ɳ 泥 \ 娘	k 見	kʻ 溪	g 群	ŋ 疑	ts\ tʃ\tɕ 精\莊\章	tsʻ\ tʃʻ \tɕʻ 清 \初 \昌
			kuæi 媧姑柴	kʻuæi 咼苦蛙				
tʻuai 娧他外	duai 兊杜會		kuai 儈古兊	kʻuai 襘苦會		ŋuai 外五會	tsuai 最作會	tsʻuai 襊七會
			kuæi 卦古賣					
				kʻɪuɐi 犈丘吠	gɪuɐi 衛巨穢			

dz\dʒ\dʑ 從\崇\禪	s\ʃ\ɕ 心\山\書	z\ʒ\ʑ 邪\俟\船	x 曉	ɣ 匣	ʔ 影	j 喻	l 來	ȵʑ 日	反切下字
			xuæi 竵火咼		ʔuæi 蛙烏緺				蛙咼緺(柴)
dzuai 蕞在外			xuai [言歲]虎外	ɣuai* 會黃帶	ʔuai 懀烏外		luai 酹郎外		兌會外(帶)
			xuæi 諣呼卦	ɣuæi 畫胡卦					卦(賣)(懈)
			xiuɐi 喙許穢		ʔiuɐi 穢於肺				吠穢廢肺

聲調	韻攝	韻目	類別	開合	等韻	等列	相配 舌	齒	\聲值 韻值\	p 幫	p' 滂	b 並	m 明	t \ ȶ 端 \ 知
平聲	蟹攝	十六 咍	分韻	開	一	1	t 系	ts 系	Ai			bAi 陪扶來		tAi [illegible]丁來
		十二 齊	合	開	四	3		禪紐						
			韻			4	t 系	ts 系	ei	pei 豍方奚	p'ei 批普雞	bei 鼙薄迷	mei 迷莫奚	tei 低當嵇
上聲	蟹攝	十五 海	分韻	開	一	1	t 系	ts 系	Ai		p'Ai 啡匹愷	bAi 倍薄亥	mAi 穤莫亥	tAi 等多改
						3	/	昌紐	ɪAi		p'ɪAi* 俖普乃			
		十一 薺	合韻	開	四	4	t 系	ts 系	ei	pei [illegible]補米	p'ei [illegible]匹米	bei 陛傍礼	mei 米莫礼	tei 邸都礼
去聲	蟹攝	十九 代	分韻	開	一	1	t 系	ts 系	Ai				mAi 穤莫代	tAi 戴都代
		十三 霽	合韻	開	四	4	t 系	ts 系	ei	pei 閉博計	p'ei* 媲匹詣	bei 薜薄計	mei 謎莫計	tei 帝都計

t' \ ʈ' 透 \ 徹	d \ ɖ 定 \ 澄	n \ ɳ 泥 \ 娘	k 見	k' 溪	g 群	ŋ 疑	ts\ tʃ\tɕ 精\莊\章	ts'\ tʃ' \tɕ' 清 \初 \昌
t'Ai 胎湯來	dAi 臺徒哀	nAi 能年來	kAi 該古哀	k'Ai 開苦哀		ŋAi 皚五來	tsAi 灾祖才	ts'Ai 猜倉才
t'ei 梯當嵇	dei 啼度嵇	nei 泥奴低	kei 雞古嵇	k'ei 谿苦嵇		ŋei 倪五嵇	tsei 齎即嵇	ts'ei 妻七嵇
	dAi 駘徒亥	nAi 乃奴亥	kAi 改古亥	k'Ai 愷苦改			tsAi 宰作亥	ts'Ai 採倉宰
								tɕ'ɪAi 茝昌待 *
t'ei 體他礼	dei 弟徒礼	nei 禰乃礼		k'ei 啓康礼		ŋei 堄吾體	tsei 濟子礼	ts'ei 泚千礼
t'Ai 貸他代	dAi 代徒戴	nAi 耐奴代	kAi 溉古礙	k'Ai 慨苦愛		ŋAi 礙五愛	tsAi 載作代	ts'Ai 菜倉代
t'ei 替他計	dei 第特計	nei 泥奴細	kei 計古詣	k'ei 契苦計		ŋei 詣五計	tsei 霽子計	ts'ei 砌七計

dz\dʒ\dʑ 從\崇\禪	s\ʃ\ɕ 心\山\書	z\ʒ\ʑ 邪\俟\船	x 曉	ɣ 匣	ʔ 影	j 喻	l 來	ɳʑ 日	反切下字
dzAi 裁昨來	sAi 鰓蘇才		xAi 咍呼來	ɣAi 孩胡來	ʔAi 哀烏開		lAi 來落哀		哀來 才開
dʑei 移成西								ɳʑei 臡人兮	嵇低 雞迷
dzei 齊徂嵇	sei 西索嵇		xei 醯呼雞	ɣei 奚胡雞	ʔei 鷖烏雞		lei 黎落嵇		奚西 兮
dzAi 在昨宰			xAi 海呼改	ɣAi 亥胡改	ʔAi 欸於改				亥改 愷宰
									乃待
dzei 薺徂礼	sei 洗先礼			ɣei 徯胡礼	ʔei ⿰口兮一弟		lei 禮盧啓		礼體 米弟啓
dzAi 載在代	sAi 賽先代			ɣAi 瀣胡愛	ʔAi 愛烏代		lAi 賚洛代		礙愛 代戴
dzei 嚌在計	sei 細蘇計		xei ⿰世欠呼計	ɣei 蒵胡計	ʔei 翳於計		lei * 麗魯帝		詣計 細帝

聲調	韻攝	韻目	類別	開合	等韻	等列	相配 舌	相配 齒	\聲值 韻值\	p 幫	p' 滂	b 並	m 明	t \ ṭ 端 \ 知
平聲	蟹攝	十四 皆	合韻	開	二	2	知紐 泥紐	tʃ 系	ɐi			bɐi 排古諧	mɐi 埋莫皆	ṭɐi [illegible]卓皆
上聲	蟹攝	十三 駭	合韻	開	二	2	/	/	ɐi					
去聲	蟹攝	十六 怪	合韻	開	二	2	娘紐	tʃ 系	ɐi					

tʻ\ʈʻ 透\徹	d\ɖ 定\澄	n\ɳ 泥\娘	k 見	kʻ 溪	g 群	ŋ 疑	ts\tʃ\tɕ 精\莊\章	tsʻ\tʃʻ\tɕʻ 清\初\昌
		n ɐi 搱諾皆	k ɐi 皆古諧	kʻ ɐi 揩客皆			tʃ ɐi 齋側皆	tʃʻ ɐi 差楚皆
			k ɐi 鍇古駭	kʻ ɐi 楷苦駭		ŋ ɐi 騃五駭		
		ɳ ɐi 褹女界	k ɐi 誡古拜	kʻ ɐi 炫客界		ŋ ɐi [illegible]五界	tʃ ɐi 瘵側界	tʃʻ ɐi 瘥楚介

dz\dʒ\dʑ 從\崇\禪	s\ʃ\ɕ 心\山\書	z\ʒ\ʑ 邪\俟\船	x 曉	ɣ 匣	ʔ 影	j 喻	l 來	ȵʑ 日	反切下字
			xɐi 俙呼皆	ɣɐi 諧戶皆					諧皆
				ɣɐi* 駭諧楷	ʔɐi 挨於駭				駭楷
			xɐi 譮許界	ɣɐi 械祜界	ʔɐi 噫烏界				界介(拜)

聲調	韻攝	韻目	類別	開合	等韻	等列	相配 舌	相配 齒	\聲值 韻值\	p 幫	p' 滂	b 並	m 明	t \ ȶ 端 \ 知
平聲	蟹攝	十五 灰	分韻	合	一	1	t 系	ts 系	uəi	pəi 杯布迴	p'əi 肧芳杯	bəi 裴薄恢	məi 枚莫盃	tuəi 磓都迴
		十四 皆	合韻	合	二	2	/	/	uɐi					
		十二 齊	合韻	合	四	4	/	/	uei					
上聲	蟹攝	十四 賄	分韻	合	一	1	t 系	ts 系	uəi			bəi 琲蒲罪	məi 浼武罪	tuəi 腲都罪
		十三 駭	合韻	合	二									
		十一 薺	合韻	合	四									
去聲	蟹攝	十八 隊	分韻	合	一	1	t 系	ts 系	uəi	pəi 背補配	p'əi 配普佩	bəi 佩薄背	məi 妹莫佩	tuəi 對都佩
		十六 怪	合韻	合	二	2	知 紐	山 紐	uɐi	pɐi 拜博怪	p'ɐi 湃普拜	bɐi 憊蒲界	mɐi 昒莫拜	ȶuɐi 顡知怪
		十三 霽	合韻	合	四	4	/	/	uei					

t'\ ţ' 透\徹	d\ȡ 定\澄	n\ȵ 泥\娘	k 見	k' 溪	g 群	ŋ 疑	ts\ tʃ\tɕ 精\莊\章	ts'\ tʃ'\tɕ' 清\初\昌
t'uəi 推他回	duəi 穨杜回	nuəi 懷乃回	kuəi 瓌公廻	k'uəi 恢苦回		ŋuəi 鮠五回	tsuəi 朘子回	ts'uəi 崔此回
			kuɐi 乖古懷	k'uɐi 匯苦淮				
			kuei 圭古攜	k'uei 睽苦圭				
t'uəi 骽吐猥	duəi 鐓徒猥	nuəi 餧奴罪		k'uəi 𩓺口猥		ŋuəi 頠五罪	tsuəi 槯子罪	ts'uəi 皠七罪
t'uəi 退他纘	duəi 隊徒對	nuəi 內奴對	kuəi 憒古對	k'uəi 塊苦對		ŋuəi 磑五對	tsuəi 晬子對	ts'uəi 倅七對
			kuɐi 怪古壞	k'uɐi 蒯苦壞		ŋuɐi 聵五拜		
			kuei 桂古惠					

dz\dʒ\dʑ 從\崇\禪	s\ʃ\ɕ 心\山\書	z\ʒ\ʑ 邪\俟\船	x 曉	ɣ 匣	ʔ 影	j 喻	l 來	ɳ ʑ 日	反切 下字
dzuəi 摧昨恢	suəi 膗素回		xuəi 灰呼恢	ɣuəi 回戶恢	ʔuəi 隈烏回		luəi 雷路回		迴回盃 杯恢
			xuɐi 虺呼懷	ɣuɐi 懷戶乖	ʔuɐi 崴乙乖				懷淮 乖
			xuei 睳呼圭	ɣuei 攜戶圭	ʔuei 烓烏攜				攜 圭
dzuəi 罪徂賄			xuəi 賄呼猥	ɣuəi 瘣胡罪	ʔuəi 猥烏賄	juəi 倄羽罪	luəi 磥落猥		猥罪 賄
	suəi 碎蘇對		xuəi 誨荒佩	ɣuəi 潰胡對	ʔuəi 尯烏繢		luəi 纇盧對		對佩繢 配碎背
	ʃuɐi 鎩所拜			ɣuɐi 壞胡怪					壞拜 怪(界)
			xuei 嚖虎惠	ɣuei 慧胡桂					桂惠

聲調	韻攝	韻目	類別	開合	等韻	等列	相配 舌	齒	\聲值 韻值\	p 幫	pʻ 滂	b 並	m 明	t \ ʈ 端 \ 知
去聲	蟹攝	十四祭	合韻(重紐)	開	三	2		山紐						
						3	ʈ系	tɕ系	B ɪɛi					ʈɪɛi 滯竹例
						4		精紐	A iɛi	piɛi 蔽必袂		biɛi 弊毗祭	miɛi 袂弥弊	

tʻ \ ʈʻ 透 \ 徹	d \ ɖ 定 \ 澄	n \ ɳ 泥 \ 娘	k 見	kʻ 溪	g 群	ŋ 疑	ts\ tʃ\t ɕ 精\莊\章	tsʻ\ tʃʻ \t ɕʻ 清 \初 \昌
ʈ ʻɪεi* 跇丑勢	ɖ ɪεi 滯直例		kɪεi 猘居厲	kʻɪεi 憩去例	gɪεi 猲其憩	ŋɪεi 劓義例	t ɕ ɪεi 制職例	t ɕ ʻɪεi 掣尺制
						ŋiεi 藝魚祭	tsɪεi 祭子例	

dz\dʒ\dʑ 從\崇\禪	s\ʃ\ɕ 心\山\書	z\ʒ\ʑ 邪\俟\船	x 曉	ɣ 匣	ʔ 影	j 喻	l 來	ȵʑ 日	反切下字
	ʃɪɛi 𢇭所例								厲例憩祭袂弊制勢罽
dʑɪɛi 逝時制	ɕɪɛi 世舒制				ʔɪɛi 緆於罽		lɪɛi 例力制		
						jɪɛi 曳餘制			

聲調	韻攝	韻目	類別	開合	等韻	等列	相配		\聲值 韻值\	p 幫	p' 滂	b 並	m 明	t \ ʈ 端 \ 知
							舌	齒						
去聲	蟹攝	十四祭	合韻(重紐)	合	三	2 3 4	知紐	tʃ系 tɕ系 ts系	B ɪuɛi / /					ʈ ɪuɛi 綴陟衛 *

tʻ \ ʈʻ 透 \ 徹	d \ ɖ 定 \ 澄	n \ ɳ 泥 \ 娘	k 見	kʻ 溪	g 群	ŋ 疑	ts\ tʃ\tɕ 精\莊\章	tsʻ\ tʃʻ \tɕʻ 清 \初 \昌
								tʃʻɪuɛi 竁楚歲 *
			kɪuɛi 劌居衛				tɕɪuɛi 贅之芮	
							tsɪuɛi 蕝子芮	tsʻɪuɛi 毳此芮

dz\dʒ\d ʑ 從\崇\禪	s\ ʃ\ ɕ 心\山\書	z\ ʒ \ ʑ 邪\俟\船	x 曉	ɣ 匣	ʔ 影	j 喻	l 來	ɳ ʑ 日	反切下字
	ʃɪuɛi 啐山芮								
d ʑ ɪuɛi 啜市芮	ɕ ɪuɛi 稅舒芮			ɣɪuɛi* 衛爲劌				ɳ ʑ ɪuɛi 芮而銳 *	衛 歲 芮 劌 銳
	sɪuɛi 歲相芮	zɪuɛi 篲四歲				jɪuɛi 銳以芮			

聲調	韻攝	韻目	類別	開合	等韻	等列	相配 舌	齒	聲值\韻值	p 幫	p‘ 滂	b 並	m 明	t \ ȶ 端 \ 知
去聲	蟹攝	十七夬	合韻	開	二	2	徹紐	山紐	ai					

t‘ \ ʈ‘ 透 \ 徹	d \ ɖ 定 \ 澄	n \ ɳ 泥 \ 娘	k 見	k‘ 溪	g 群	ŋ 疑	ts\ tʃ\tɕ 精\莊\章	ts‘\ tʃ‘ \tɕ‘ 清 \初 \昌
ʈ ‘ai 蠆丑芥			kai 芥古邁					

dz\dʒ\dʑ 從\崇\禪	s\ʃ\ɕ 心\山\書	z\ʒ\ʑ 邪\俟\船	x 曉	ɣ 匣	ʔ 影	j 喻	l 來	ȵ ʑ 日	反切下字
	ʃai ⿰口冊所芥		xai ⿰言萬火芥		ʔai 喝於芥				(邁) 芥

聲調	韻攝	韻目	類別	開合	等韻	等列	相配 舌	相配 齒	\聲値 韻値\	p 幫	p' 滂	b 並	m 明	t \ ȶ 端 \ 知
去聲	蟹攝	十七夬	合韻	合	二	2 4	/ /	初紐 清紐	uai			bai 敗薄邁	mai 邁莫話	

t' \ ʈ' 透 \ 徹	d \ ɖ 定 \ 澄	n \ ɳ 泥 \ 娘	k 見	k' 溪	g 群	ŋ 疑	ts\ tʃ\tɕ 精\莊\章	ts'\ tʃ' \tɕ' 清 \初 \昌
			kuai 夬古邁	k'uai 快苦邁				tʃ'uai 嘬楚夬
								ts'uai 啐倉快 *

dz\dʒ\dʑ 從\崇\禪	s\ʃ\ɕ 心\山\書	z\ʒ\ʑ 邪\俟\船	x 曉	ɣ 匣	ʔ 影	j 喻	l 來	ȵ ʑ 日	反切 下字
			xuai 咶火夬	ɣuai 話下快	ʔuai ⿰黑會烏快				邁話 夬快

聲調	韻攝	韻目	類別	開合	等韻	等列	相配 舌	相配 齒	\聲值 韻值\	p 幫	p' 滂	b 並	m 明	ȶ\ȶ 端\知
平聲	臻攝	二三 痕	分韻	開	一	1	透紐	/	ən					
		十八 臻	合韻		二	2		tʃ系						
		十七 眞	合韻(重紐)	開	三	3	ȶ系	tɕ系	B ɪen	pɪen 𧉫鄙巾		bɪen 貧符巾	mɪen 珉武巾	ȶɪen 珍陟鄰
						4		ts系	A ien	pien 賓必鄰	p'ien 繽敷賓	bien 頻符鄰	mien 民弥鄰	
上聲	臻攝	二一 佷	分韻	開	一	1	/	/	ən					
			合韻					/						
		十六 軫	合韻(重紐)	開	三	3	ȶ系	tɕ系	B ɪen				mɪen 愍眉殞	
						4		ts系	A ien			bien 牝毗忍	mien 泯武盡	
去聲	臻攝	二六 恨	分韻	開	一	1	/	/	ən					
			合韻		二	2		初紐						
		二一 震	合韻(重紐)	開	三	3	ȶ系	tɕ系	B ɪen					ȶɪen 鎭陟刃
						4		ts系	A ien	pien 儐必刃	p'ien 𣎴撫刃			
入聲	臻攝	沒	分韻	開	一	1	/	/	ət					
		七 櫛	合韻		二	2		tʃ系						
		五 質	合韻(重紐)	開	三	3	ȶ系	tɕ系	B ɪet	pɪet 筆鄙密		bɪet 弼房律	mɪet 密美筆	ȶɪet 窒陟栗
						4		ts系	A iet	piet 必吉卑	p'iet 匹譬吉	biet 邲毗必	miet 蜜民必	

t'\ʈ' 透\徹	d\ɖ 定\澄	n\ɳ 泥\娘	k 見	k' 溪	g 群	ŋ 疑	ts\tʃ\tɕ 精\莊\章	ts'\tʃ'\tɕ' 清\初\昌
t'ən 吞吐根			kən 根古痕			ŋən 垠五根		
							tʃɪen 臻側詵	
ʈ'ɪen 獜丑鄰	ɖɪen 陳直珍	ɳɪen 紉女人	kɪen 巾居鄰		gɪen 㹟巨巾	ŋɪen 銀語巾	tɕɪen 眞職鄰	tɕ'ɪen 瞋昌鄰
							tsɪen 津將鄰	ts'ɪen 親七鄰
			kən 頣古佷	k'ən 墾康佷				
ʈ'ɪen 辴勅忍	ɖɪen 紖直引		kɪen 巾飢腎	k'ɪen 螼丘引		ŋɪen 釿宜引	tɕɪen 軫之忍	
			kien 緊居忍				tsɪen [illegible]子忍	
			kən 艮古恨			ŋən * [illegible]五恨		
								tʃ'ɪen 櫬楚覲
ʈ'ɪen 疹丑刃	ɖɪen 陣直刃			k'ɪen 菣去刃	gɪen 僅渠遴	ŋɪen 憖魚覲	tɕɪen 震職刃	
							tsɪen 晉即刃	ts'ɪen 親七刃
							tʃɪet 櫛阻瑟	tʃ'ɪet 剢初栗
ʈ'ɪet 扶丑栗	ɖɪet 秩直質	ɳɪet 昵尼質	kɪet 橘居密		gɪet 姞巨乙	ŋɪet 耴魚乙	tɕɪet 質之日	tɕ'ɪet 叱齒日
			kiet 吉居質	k'iet 詰去吉			tsɪet 堲資悉	ts'ɪet 七親悉

dz\dʒ\dʑ 從\崇\禪	s\ʃ\ɕ 心\山\書	z\ʒ\ʑ 邪\俟\船	x 曉	ɣ 匣	ʔ 影	j 喻	l 來	ȵʑ 日	反切 下字
				ɣən 痕戶恩	ʔən 恩烏痕				痕根 恩
dʒɪen 榛仕臻	ʃɪen 莘䟽臻								詵臻
dʑɪen 辰愼鄰	ɕɪen 申書鄰	ʑɪen 神食鄰			ʔɪen [illegible]於巾		lɪen 鄰力珍	ȵʑɪen 仁如鄰	鄰巾 珍人
dzɪen 秦匠鄰	sɪen 新思鄰			ɣien 礥下珍	ʔien 因於鄰	jɪen 寅余眞			眞賓
				ɣən 佷痕墾					佷 墾
									腎引
dʑɪen 腎時忍	ɕɪen 矧式忍						lɪen 僯力軫	ȵʑɪen 忍而軫	忍軫 盡
dzɪen 盡慈引						jɪen 引余軫			(殞)
				ɣən 恨胡艮					恨 艮
dʑɪen 愼是刃	ɕɪen 眒式刃		xɪen 釁許覲	ɣɪen 韻永賮			lɪen 遴力晉	ȵʑɪen 刃而晉	刃遴 覲晉
	sɪen 信息晉	zɪen 賮似刃			ʔien 印於刃	jɪen 胤与晉			賮
				ɣət 麧下沒					沒
dʒɪet [illegible]仕乙	ʃɪet 瑟所櫛								瑟櫛 (律)
	ɕɪet 失識質	ʑɪet 實神質	xɪet 肸羲乙	ɣɪet 颶于筆	ʔɪet 乙於筆		lɪet 栗力質	ȵʑɪet 日人質	密乙 栗質悉
dzɪet 疾秦悉	sɪet 悉息七		xiet 欯許吉		ʔiet 一憶質	jɪet 逸夷質			吉筆七 必日

聲調	韻攝	韻目	類別	開合	等韻	等列	相配 舌	相配 齒	聲值\韻值	p 幫	p' 滂	b 並	m 明	t\ȶ 端\知
平聲	臻攝	二二魂	分韻	合	一	1	t系	ts系	uon	pon 奔博昆		bon 盆蒲昆	mon 門莫奔	tuon 敦都昆
		十七真	合韻(重紐)	合	三	3	ȶ系	tɕ系	B ɪuen					ȶɪuen 屯陟倫
						4		ts系	A iuen					
上聲	臻攝	二二混	分韻	合	一	1	t系	ts系	uon	pon 本布忖		bon 獖盆本	mon 懣莫本	
		十六軫	合韻(重紐)	合	三	3	/	tɕ系	B ɪuen					
						4		ts系	/					
去聲	臻攝	二五慁	分韻	合	一	1	t系	ts系	uon		p'on 噴普悶	bon 坌蒲悶	mon 悶莫困	tuon 頓都困
		二一震	合韻(重紐)	合	三	3	/	tɕ系	B ɪuen					
						4		ts系	A iuen					
入聲	臻攝	十沒	分韻	合	一	1	t系	ts系	uot		p'ot 㛘普沒	bot 勃蒲沒	mot 沒莫勃	tuot 咄當沒
						2		山紐						
		五質	合韻(重紐)	合	三	3	ȶ系	tɕ系	B ɪuet					ȶɪuet 怵竹律
						4		ts系	/					

t'\ʈ' 透\徹	d\ɖ 定\澄	n\ɳ 泥\娘	k 見	k' 溪	g 群	ŋ 疑	ts\tʃ\tɕ 精\莊\章	ts'\tʃ'\tɕ' 清\初\昌
t'uon 暾他昆	duon 屯徒渾		kuon 昆古渾	k'uon 坤苦昆		ŋuon 僤牛昆	tsuon 尊即昆	ts'uon 村此尊
ʈ'ɪuen 椿敕屯	ɖɪuen 䞐丈倫		kɪuen 麏居筠	k'ɪuen 囷去倫			tɕɪuen 諄之純	tɕ'ɪuen 春昌脣
			kiuen 均居春				tsɪuen 遵將倫	ts'ɪuen 逡七旬
t'uon 畽他本	duon 囤徒損		kuon 鯀古本	k'uon 閫苦本			tsuon ⿰尊刂茲損	ts'uon 忖倉本
				k'ɪuen* 麇丘隕	gɪuen 窘渠殞	ŋɪuen 輑牛殞	tɕɪuen 准之尹	tɕ'ɪuen 蠢尺尹
	duon 鈍徒困	nuon 嫩奴困	kuon 睔古鈍	k'uon 困苦悶				ts'uon 寸倉困
							tɕɪuen 稕之閏	
			kiuen 呁九峻				tsɪuen 儁子峻	
t'uot 宊他骨	duot 突陁骨	nuot 訥諾骨	kuot 骨古忽	k'uot 窟苦骨		ŋuot 兀五忽	tsuot 卒則沒	ts'uot 猝麤沒*
ʈ'ɪuet 黜丑律	ɖɪuet 术直律		kɪuet 茁几律		gɪuet 趫其聿			tɕ'ɪuet 出尺聿
							tsɪuet 卒子聿	ts'ɪuet 焌恤翠

dz\dʒ\dʑ 從\崇\禪	s\ʃ\ɕ 心\山\書	z\ʒ\ʑ 邪\俟\船	x 曉	ɣ 匣	ʔ 影	j 喻	l 來	ȵʑ 日	反切 下字
dzuon 存徂尊	suon 孫思渾		xuon 昏呼昆	ɣuon 魂戶昆	ʔuon 溫烏渾		luon 論盧昆		渾昆 尊奔
									均麕
dʑɪuen 純常倫		ʑɪuen 脣食倫		ɣɪuen 筠王麕	ʔɪuen 贇於倫		lɪuen 淪力屯	ȵʑɪuen 犉如均	筠春 倫屯
dzɪuen 鷷昨旬	sɪuen 荀相倫	zɪuen 旬詳遵				jɪuen 勻羊倫			純脣 旬遵
dzuon 鱒茲損	suon 損蘇本			ɣuon 混胡本	ʔuon 穩烏本		luon 惀盧本		本損 忖
									隕殞
	ɕɪuen 賰式尹	ʑɪuen 盾食尹		ɣɪuen 殞于閔			lɪuen 輪力尹	ȵʑɪuen 稚而尹 *	尹准 (閔)
	sɪuen 筍思尹					jɪuen 尹余准			
dzuon 鐏徂困	suon 巽蘇困		xuon 惛呼困	ɣuon 慁胡困	ʔuon 搵烏困		luon 論盧寸		鈍悶 困寸
dʑɪuen 順食閏	ɕɪuen 舜施閏							ȵʑɪuen 閏如舜	閏 峻
	sɪuen 峻私閏	zɪuen 殉辭閏							舜
dzuot 捽昨沒	suot 窣蘇骨		xuot 忽呼骨	ɣuot 鶻胡骨	ʔuot 頞烏沒		luot* 柭沒勒		忽骨 沒勃
	ʃɪuet 率所律								律聿
	ɕɪuet 絀式出	ʑɪuet 術食聿	xɪuet 颰許聿				lɪuet 律呂䘏		出䘏 卹
dzɪuet 崒聚卹	sɪuet 卹辛聿					jɪuet 聿餘律			

聲調	韻攝	韻目	類別	開合	等韻	等列	相配 舌	相配 齒	聲值\韻值	p 幫	p' 滂	b 並	m 明	t \ ȶ 端 \ 知
平聲	臻攝	二十殷	分韻	開	三	3	/	/	ɪən					
上聲	臻攝	十八隱	分韻	開	三	2 3	/	/	ɪən					
去聲	臻攝	二三焮	分韻	開	三	3	/	/	ɪən					
入聲	臻攝	八迄	分韻	開	三	3	/	/	ɪət					

tʻ\ʈʻ 透\徹	d\ɖ 定\澄	n\ɳ 泥\娘	k 見	kʻ 溪	g 群	ŋ 疑	ts\tʃ\tɕ 精\莊\章	tsʻ\tʃʻ\tɕʻ 清\初\昌
			kɪən 斤舉欣		gɪən 勤巨斤	ŋɪən [illegible]語斤		
								tʃʻɪən 齓初謹
			kɪən 謹居隱	kʻɪən 赾丘謹	gɪən 近祈謹	ŋɪən 听牛謹		
			kɪən 靳居焮		gɪən 近巨靳	ŋɪən 垽魚靳		
			kɪət 訖居乞	kʻɪət 乞去訖	gɪət 趌其迄	ŋɪət 疙魚乞		

dz\dʒ\dʑ 從\崇\禪	s\ʃ\ɕ 心\山\書	z\ʒ\ʑ 邪\俟\船	x 曉	ɣ 匣	ʔ 影	j 喻	l 來	ȵʑ 日	反切下字
			xɪən 欣許斤		ʔɪən 殷於斤				斤欣
					ʔɪən 隱於謹				隱謹
			xɪən 焮許靳		ʔɪən 傿於靳				焮靳
			xɪət 迄許訖	ɣɪət 圪于乞					迄訖乞

聲調	韻攝	韻目	類別	開合	等韻	等列	相配		\聲値 韻値\	p 幫	p' 滂	b 並	m 明	t \ ȶ 端 \ 知
							舌	齒						
平聲	臻攝	十九文	分韻	合	三	3	/	/	ɪuon	pɪon 分府文	p'ɪon 芬撫云	bɪon 汾符分	mɪon 文武分	
上聲	臻攝	十七吻	分韻	合	三	3	/	/	ɪuon	pɪon 粉方吻	p'ɪon 憤房吻	bɪon 忿敷粉	mɪon 吻武粉	
去聲	臻攝	二二問	分韻	合	三	3	/	/	ɪuon	pɪon 糞府問	p'ɪon 湓匹問	bɪon 分扶問	mɪon 問無運	
入聲	臻攝	六物	分韻	合	三	3	/	/	ɪuot	pɪot 弗分物	p'ɪot 拂敷物	bɪot 佛符弗	mɪot 物無弗	

t'\ṭ' 透\徹	d\ḍ 定\澄	n\ṇ 泥\娘	k 見	k' 溪	g 群	ŋ 疑	ts\tʃ\tɕ 精\莊\章	ts'\tʃ'\tɕ' 清\初\昌
			kɪuon 君舉云		gɪuon 群渠云			
						ŋɪuon 齳魚吻		
			kɪuon 捃居運		gɪuon 郡渠運			
			kɪuot* 孓九勿	k'ɪuot 屈區物	gɪuot 倔衢物			

dz\dʒ\d ʑ 從\崇\禪	s\ʃ\ ɕ 心\山\書	z\ʒ\ʑ 邪\俟\船	x 曉	ɣ 匣	ʔ 影	j 喻	l 來	ȵ ʑ 日	反切下字
			xɪuon 薰許云	ɣɪuon 雲戶分	ʔɪuon 熅於云				云文分
				ɣɪuon 抎于粉	ʔɪuon 惲於粉				吻粉
			xɪuon 訓許運		ʔɪuon 醞於問				運問
			xɪuot 颮許物	ɣɪuot [illegible]王物	ʔɪuot 鬱迂物				勿物弗

聲調	韻攝	韻目	類別	開合	等韻	等列	相配 舌	相配 齒	\聲值 韻值\	p 幫	pʻ 滂	b 並	m 明	t \ ȶ 端 \ 知
平聲	山攝	二四 寒	合韻	開	一	1	t 系	ts 系	ɑn					tɑn 單都寒
		二五 刪	合韻	開	二	2	/	山紐	ɐn					
		二七 先	合韻	開	四	4	t 系	ts 系	en	pen 邊布玄		ben 蹁蒲田	men 眠莫賢	ten 顛都賢
上聲	山攝	二二 旱	合韻	開	一	1	t 系	ts 系	ɑn					tɑn 亶多旱
		二三 潸	合韻	開	二	2	泥紐	tʃ 系	ɐn					
		二五 銑	合韻	開	四	4	t 系	心紐	en	pen 編方顯		ben 辮薄顯		ten 典多殄
去聲	山攝	二七 翰	合韻	開	一	1	t 系	ts 系	ɑn					tɑn 旦得案
		二八 諫	合韻	開	二	2	/	tʃ 系	ɐn					
		三十 霰	合韻	開	四	4	t 系	ts 系	en	pen 遍博見	pʻen 片普見		men 麪莫見	ten 殿都見
入聲	山攝	十一 末	合韻	開	一	1	t 系	ts 系	ɑt					tɑt 怛當割
		十二 黠	合韻	開	二	2	娘紐	tʃ 系	ɐt					
		十四 屑	合韻	開	四	4	t 系	ts 系	et	pet 彆方結	pʻet 撇普蔑	bet 蹩蒲結	met 蔑莫結	tet 窒丁結

t'\ȶ' 透\徹	d\ȡ 定\澄	n\ȵ 泥\娘	k 見	k' 溪	g 群	ŋ 疑	ts\tʃ\tɕ 精\莊\章	ts'\tʃ'\tɕ' 清\初\昌
t'an 嘽他單	dan 壇徒干	nan 難乃干	kan 干古寒	k'an 看苦寒				ts'an 餐倉干
			kɐn 姦古顏			ŋɐn 顏五姦		
t'en 天他前	den 田徒賢	nen 年奴賢	ken 堅古賢	k'en 牽苦賢		ŋen 妍五賢	tsen 牋則前	ts'en 千倉先
t'an 坦他但	dan 但徒旱	nan 攤奴但	kan 笴各旱	k'an 侃空旱				
		nɐn 赧奴板				ŋɐn [illegible]五板	tʃɐn 醆側板	tʃ'ɐn 㹽初板
t'en 腆他典	den 殄徒顯	nen 撚奴典	ken 繭古典	k'en 窒口典				
t'an 炭他伴	dan 憚徒旦	nan 攤奴旦	kan 旰古旦	k'an 苦旦		ŋan 岸五旦	tsan 讚作幹	ts'an 粲倉旦
			kɐn 諫古晏			ŋɐn 鴈五晏		tʃ'ɐn 鏟初鴈
t'en 瑱他見	den 電堂見	nen 晛奴見	ken 見古電	k'en 俔苦見		ŋen 硯五見	tsen 薦作見	ts'en 蒨倉見*
t'at 闥他達	dat 達陁割	nat 捺奴曷	kat 葛古達	k'at 渴苦割		ŋat 嶭五割	tsat [illegible]姊末	ts'at 攃七曷
		ȵɐt 痆女黠	kɐt 戛古黠	k'ɐt [illegible]恪八			tʃɐt 札側八	tʃ'ɐt [illegible]初八
t'et 鐵他結	det 姪徒結*	net 涅奴結	ket 結古屑	k'et 猰苦結		ŋet 齧五結	tset 節子結	ts'et 切千結

dz\dʒ\d ʑ 從\崇\禪	s\ ʃ\ ɕ 心\山\書	z\ ʒ \z 邪\俟\船	x 曉	ɣ 匣	ʔ 影	j 喻	l 來	ȵ ʑ 日	反切 下字
dzan 殘昨干	san 珊蘇干		xan 頇許安	ɣan 寒胡安	ʔan 安烏寒		lan 蘭落干		寒 單 干 安
	ʃɐn 刪所姦								顏 姦
dzen 前昨先	sen 先蘇先		xen 祆呵憐	ɣen 賢胡千	ʔen 煙烏前		len 蓮路賢		賢前田千 先憐(玄)
dzan 瓚昨旱	san 散蘇旱		xan 罕呼稈	ɣan 旱河滿			lan 嬾落旱		(滿)稈 旱但
dʒɐn 輚士板	ʃɐn 潸數板			ɣɐn 僩下赧					(板) 赧
	sen 銑蘇顯		xen 顯呼典	ɣen 峴胡顯					典顯 繭
dzan 㜺徂粲	san 繖蘇旦		xan 漢呼半	ɣan 翰胡旦	ʔan 按烏旦		lan 爛盧旦		旦案幹伴 粲(半)
dʒɐn 棧士諫	ʃɐn 訕所晏			ɣɐn 骭下晏	ʔɐn 晏烏澗				晏諫 鴈澗
dzen 荐在見	sen 霰蘇見		xen 韅呼見	ɣen 現戶見	ʔen 宴烏見		len 練落見		電 見
dzat 巀才割	sat 躠桑割		xat 顯許葛	ɣat 褐胡葛	ʔat 遏烏割		lat 剌盧達		達割曷 葛(末)
	ʃɐt 殺所八		xɐt 傄呼八	ɣɐt 黠胡八	ʔɐt 軋烏黠				黠 (八)
dzet 截昨結*	set 屑先結		xet 奯虎結	ɣet 纈胡結	ʔet 噎烏結		let 奊練結		屑結 蔑

聲調	韻攝	韻目	類別	開合	等韻	等列	相配 舌	相配 齒	聲值\韻值	p 幫	p' 滂	b 並	m 明	t\ȶ 端\知
平聲	山攝	二四 寒	合韻	合	一	1	t 系	ts 系	uan	pan [illegible]北潘	p'an 潘普官	ban 盤薄官	man 瞞武安	tuan 端多官
		二五 刪	合韻	合	二	2	娘紐	/	uɐn	pɐn 班布還	p'ɐn 攀普班		mɐn 蠻莫還	
		二七 先	合韻	合	四	4	/	/	uen					
上聲	山攝	二二 旱	合韻	合	一	1	t 系	ts 系	uan	pan 粄博管		ban 伴薄旱	man 滿莫旱	tuan 短都管
		二三 潸	合韻	合	二	2	/	/	uɐn	pɐn 板布綰	p'ɐn 眅普板	bɐn 阪扶板	mɐn 矕武板	
		二五 銑	合韻	合	四									
去聲	山攝	二七 翰	合韻	合	一	1	t 系	ts 系	uan	pan 半博縵	p'an 判普半	ban 叛薄半	man 縵莫半	tuan 鍛都亂
		二八 諫	合韻	合	二	2	娘紐	tʃ 系	uɐn		p'ɐn 襻普患		mɐn 慢莫晏	
		三十 霰	合韻	合	四	4	/	/	uen					
入聲	山攝	十一 末	合韻	合	一	1	t 系	ts 系	uat	pat 撥博末	p'at 鏺普括	bat 跋蒲撥	mat 末莫割	tuat 掇多括
		十二 黠	合韻	合	二	2	娘紐	tʃ 系	uɐt	pɐt 八博拔	p'ɐt 汃普八	bɐt 拔蒲八	mɐt 婘莫八	tuɐt [illegible]丁滑
		十四 屑	合韻	合	四	4	t 系	ts 系	uet					

t'\ȶ' 透\徹	d\ȡ 定\澄	n\ȵ 泥\娘	k 見	k' 溪	g 群	ŋ 疑	ts\tʃ\tç 精\莊\章	ts'\tʃ'\tç' 清\初\昌
t'uan 湍他端	duan 團度官		kuan 官古丸	k'uan 寬苦官		ŋuan 岏五丸	tsuan 鑽借官	
		ȵuɐn 奻女還	kuɐn 關古還			ŋuɐn 癏五還		
			kuen 涓古玄					
t'uan 畽他管	duan 斷徒管	nuan 餪乃管	kuan 管古纂	k'uan 款苦管			tsuan 纂作管	
						ŋuɐn 睆五板		
t'uan 彖他亂	duan 段徒玩	nuan 偄乃亂	kuan 貫古段	k'uan [illegible]口煥		ŋuan 玩五段	tsuan 穳子筭	ts'uan 竄七亂
		ȵuɐn 奻女患				ŋuɐn 薍五患		tʃ'uɐn 篡楚患
			kuen 睊古縣					
t'uat 侻他活	duat 奪徒活		kuat 括古活	k'uat 闊苦括		ŋuat 枂五活	tsuat 繓子括	ts'uat 撮七活
		ȵuɐt 豽女滑	kuɐt 劀吉滑	k'uɐt 䯦口滑		ŋuɐt* 黜五滑		
			kuet 玦古穴	k'uet 闋苦穴				

dz\dʒ\d ʑ 從\崇\禪	s\ ʃ\ ɕ 心\山\書	z\ ʒ \ʑ 邪\俟\船	x 曉	ɣ 匣	ʔ 影	j 喻	l 來	ȵ ʑ 日	反切下字
dzuan 欑在丸	suan 酸素官		xuan 歡呼官	ɣuan 桓胡官	ʔuan 剜一丸		luan 鑾落官		丸官端潘(安)
				ɣuɐn 還胡關	ʔuɐn 彎烏關				還班關
			xuen 鋗火玄	ɣuen 玄胡涓	ʔuen 淵焉玄				玄涓
	suan 算蘇管			ɣuan 緩胡管	ʔuan 椀烏管		luan 卵落管		纂管(旱)
					ʔuɐn 綰烏板				板綰
dzuan 攢在翫	suan 筭蘇段		xuan 喚呼段	ɣuan 換胡段	ʔuan 惋烏段		luan 亂洛段		段亂緩翫筭煥玩半
	ʃuɐn 孿山患			ɣuɐn 患胡慣					患慣(晏)
			xuen 絢許縣	ɣuen 縣黃練	ʔuen 睊烏縣				縣(練)
			xuat 豁呼括	ɣuat 活戶括	ʔuat 斡烏活		luat 捋盧活		活末括撥(割)
				ɣuɐt 滑戶八	ʔuɐt 嗗烏八				滑八拔
			xuet 血呼玦	ɣuet 穴胡玦	ʔuet 抉於決				穴玦決

聲調	韻攝	韻目	類別	開合	等韻	等列	相配 舌	相配 齒	聲值\韻值	p 幫	p' 滂	b 並	m 明	t\ȶ 端\知
平聲	山攝													
		二六 山	合韻	開	二	2	ȶ 系	tʃ 系	an	pan 媥方閑				ȶan 譠丑山
		二一 元	合韻	開	三	3	/	/	ɪɐn					
上聲	山攝													
		二四 產	合韻	開	二	2	ȶ 系	tʃ 系	an				man [illegible]武限	
		十九 阮	合韻	開	三	3	/	/	ɪɐn					
去聲	山攝													
		二九 襇	合韻	開	二	2	定紐	初系	an		p'an 盼匹莧	ban 辦薄莧	man 蔄莫莧	
		二四 願	合韻	開	三	3	/	/	ɪɐn					
入聲	山攝													
		十三 鎋	合韻	開	二	2	透紐 娘紐	初系	at	pat 捌百鎋			mat 礣莫鎋	
		九 月	合韻	開	三	3	/	/	ɪɐt					

t' \ ʈ' 透 \ 徹	d \ ɖ 定 \ 澄	n \ ȵ 泥\ 娘	k 見	k' 溪	g 群	ŋ 疑	ts\tʃ\tɕ 精\莊\章	ts' \tʃ' \tɕ' 清\初\昌
		ȵ an 嘫女閑	kan 閒古閑	k'an 慳苦閑		ŋan [illegible]五閑		tʃ'an 㹽充山
			kɪ ɐ n 揵居言	k'ɪ ɐ n 攑丘言	gɪ ɐ n 䭈渠言	ŋɪ ɐ n 言語軒		
			kan 簡古限	k'an* 齦口限		ŋan 眼五限	tʃan 醆側限	tʃ'an 剗初限
				k'ɪ ɐ n 言去偃	gɪ ɐ n 寋其偃	ŋɪ ɐ n 言語偃		
	dan 袒大莧		kan 襇古莧					tʃ'an 羼初莧
			kɪ ɐ n 建居万		gɪ ɐ n 健渠建	ŋɪ ɐ n 甗語堰		
t'at 獺他鎋	ȵ at 痆女鎋	kat 鶷古鎋	k'at 䶗枯鎋		ŋat 齾五鎋		tʃ'at 刹初鎋	
		kɪ ɐ t 訐居謁		gɪ ɐ t 揭其謁	ŋɪ ɐ t 钀語謁			

dz\dʒ\dʑ 從\崇\禪	s\ʃ\ɕ 心\山\書	z\ʒ\ʑ 邪\俟\船	x 曉	ɣ 匣	ʔ 影	j 喻	l 來	ȵ ʑ 日	反切 下字
dʒan 虥昨閑	ʃan 山所間		xan 羴許間	ɣan 閑胡山	ʔan 黰烏閑		lan 爛力閑		閑間 山間
			xɪɐn 軒虛言		ʔɪɐn 蔫謁言				言 軒
dʒan 棧士限	ʃan 產所簡			ɣan 限胡簡					限 簡
			xɪɐn 幰虛偃		ʔɪɐn 偃於幰				偃 幰
				ɣan 莧侯辨					莧 辨
			xɪɐn 憲許建		ʔɪɐn 堰於建				建堰 （万）
			xat 瞎許鎋	ɣat 鎋胡瞎					鎋 瞎
			xɪɐt 歇許謁		ʔɪɐt 謁於歇				謁 歇

聲調	韻攝	韻目	類別	開合	等韻	等列	相配 舌	齒	聲值\韻值	p 幫	p' 滂	b 並	m 明	t\ȶ 端\知
平聲	山攝													
		二六 山	合韻	合	二	2	澄紐	/	uan					
		二一 元	合韻	合	三	3	/	/	ɪuɐn	pɪ ɐn 番甫煩	p'ɪ ɐn 翻孚袁	bɪ ɐn 煩附袁		
上聲	山攝													
		二四 產	合韻	合	二	2	/	/	uan					
		十九 阮	合韻	合	三	3	/	/	ɪuɐn	pɪ ɐn 反府遠		bɪ ɐn [illegible]扶遠	mɪ ɐn 晚無遠	
去聲	山攝													
		二九 襉	合韻	合	二	2	/	/	uan					
		二四 願	合韻	合	三	3	/	/	ɪuɐn	pɪ ɐn 販方願		bɪ ɐn 飰符万	mɪ ɐn 万無販	
入聲	山攝													
		十三 鎋	合韻	合	二	2	端紐 ȶ	初紐	uat					tuat 鵽丁刮
		九 月	合韻	合	三	3	/	/	ɪuɐt	pɪ ɐt 髮方伐	p'ɪ ɐt 怖匹伐	bɪ ɐt 伐房越	mɪ ɐt 韈望發	

t' \ ʈ' 透 \ 徹	d \ ɖ 定 \ 澄	n \ ɳ 泥 \ 娘	k 見	k' 溪	g 群	ŋ 疑	ts\tʃ\tɕ 精\莊\章	ts'\tʃ' tɕ' 清 \初 \昌
	ɖuan 穵除頑		kuan 鰥古頑			ŋuan 頑吳鰥		
						ŋıuɐn 元愚袁		
				k'ıuɐn [illegible]去阮	gıuɐn [illegible]求晚	ŋıuɐn 阮虞遠		
			kuan 鰥古盼					
			kıuɐn 攣居願	k'ıuɐn 券去願	gıuɐn 圈臼万	ŋıuɐn 願魚怨		
ʈ'uat 頢丑刮		ɳuat 妠女刮	kuat 刮古頢			ŋuat 刖五刮		tʃ'uat 篡初刮
			kıuɐt 厥居月	k'ıuɐt 闕去月	gıuɐt 鱖其月	ŋıuɐt 月魚厥		

dz\dʒ\dʑ 從\崇\禪	s\ʃ\ɕ 心\山\書	z\ʒ\ʑ 邪\俟\船	x 曉	ɣ 匣	ʔ 影	j 喻	l 來	ȵʑ 日	反切 下字
					ʔuan 嫚於鰥				頑 鰥
			xɪuɐn 晅況袁	ɣɪuɐn 袁韋元	ʔɪuɐn 鴛於袁				袁 煩元
			xɪuɐn 暅況晚	ɣɪuɐn 遠雲晚	ʔɪuɐn 婉於阮				阮晚 遠
				ɣuan 幻胡辨					(盼) (辨)
			xɪuɐn 楦許勸	ɣɪuɐn 遠于願	ʔɪuɐn 怨於願				願怨販 勸万
				ɣuat 頢下刮					頢 刮
			xɪuɐt 颰許月	ɣɪuɐt 越王伐	ʔɪuɐt 嬮於月				月伐厥 越發

聲調	韻攝	韻目	類別	開合	等韻	等列	相配 舌	相配 齒	聲值 韻值	p 幫	p' 滂	b 並	m 明	t \ ȶ 端 \ 知
平	山		合			2		崇紐						
		二八仙	韻(重紐)	開	三	3	ȶ系	tɕ系	B ɪæn					ȶ ɪæn 邅張連
聲	攝					4		ts系	A iæn	piæn 鞭卑連	p'iæn 篇芳連	biæn 便房連	miæn 綿武連	
上	山		合			2								
		二六獮	韻(重紐)	開	三	3	ȶ系	tɕ系	B ɪæn	pɪæn 辡方兗		bɪæn 辯符蹇	mɪæn 免七辨	ȶ ɪæn 展知演
聲	攝					4		ts系	A iæn	piæn 褊方緬		biæn 楩符善	miæn 緬無兗	
去	山		合			2								
		三一線	韻(重紐)	開	三	3	ȶ系	tɕ系	B ɪæn	pɪæn* 變彼眷		bɪæn* 卞皮變		ȶ ɪæn 驏陟彥
聲	攝					4		ts系	A iæn		p'iæn 騗匹扇	biæn 便婢面	miæn 面弥戰	
入	山		合			2		tʃ系						
		十五薛	韻(重紐)	開	三	3	ȶ系	tɕ系	B ɪæt	pɪæt 筋方列	p'ɪæt 瞥芳滅	bɪæt 別皮列		ȶ ɪæt 哲陟列
聲	攝					4		ts系	A iæt	piæt 鷩并列		biæt 嫳扶列	miæt 滅亡列	

tʻ\ȶʻ 透\徹	d\ȡ 定\澄	n\ȵ 泥\娘	k 見	kʻ 溪	g 群	ŋ 疑	ts\tʃ\tɕ 精\莊\章	tsʻ\tʃʻ\tɕʻ 清\初\昌
ȶʻɪæn 脠丑延	ȡɪæn 纏直連		kɪæn 甄居延	kʻɪæn 愆去乾	gɪæn 乾渠焉		tɕɪæn 饘諸延	
							tsɪæn 煎子仙	tsʻɪæn 遷七然
ȶʻɪæn [illegible]丑善		ȵɪæn 趁尼展	kɪæn 蹇居輦		gɪæn 件其輦	ŋɪæn 齴魚蹇	tɕɪæn 膳旨善	tɕʻɪæn 闡昌善
			kiæn [illegible]基善	kʻiæn 遣去演			tsɪæn 剪即踐	tsʻɪæn 淺七演
		ȵɪæn 輾女箭				ŋɪæn 彥魚變	tɕɪæn 戰之膳	tɕʻɪæn 硟尺戰
				kʻiæn 譴去戰			tsɪæn 箭子賤	
								tʃʻɪæt [illegible]廁列
ȶʻɪæt 屮丑列	ȡɪæt 轍直列			kʻiæt [illegible]去[illegible]	gɪæt 傑渠烈	ŋɪæt 孽魚列	tɕɪæt 哲旨熱	
			kiæt 孑居列				tsɪæt 蠽子列	

dz\dʒ\dʑ 從\崇\禪	s\ʃ\ɕ 心\山\書	z\ʒ\ʑ 邪\俟\船	x 曉	ɣ 匣	ʔ 影	j 喻	l 來	ȵʑ 日	反切 下字
dʒɪæn 潺士連									延 乾焉 連仙 然
dʑɪæn 鋋市連	ɕɪæn 羶式連		xɪæn 嘕許延		ʔɪæn 焉於乾		lɪæn 連力延	ȵʑɪæn 然如延	
dzɪæn 錢昨仙	sɪæn 仙相然	zɪæn 涎敘連				jɪæn 延以然			
									辨緬 輦蹇 善演 展免 兗踐淺
dʑɪæn 善常演	ɕɪæn 㒄式善				ʔɪæn 㫃於蹇		lɪæn 輦力演	ȵʑɪæn 蹨人善	
dzɪæn 踐疾演	sɪæn 獮息淺	zɪæn 𦆲徐輦				jɪæn 演以淺			
									(眷) 戰變 彥箭 扇面 膳賤 線扇
dʑɪæn 繕視戰	ɕɪæn 扇式戰				ʔɪæn 躽於扇				
dzɪæn 賤在線	sɪæn 線私箭	zɪæn 羨似面				jɪæn* 衍餘線			
	ʃɪæt 樧山列								列 烈滅 熱竭 薛
dʑɪæt 舌食列	ɕɪæt 設識列		xɪæt 娎許列		ʔɪæt 焆於列		lɪæt 列呂薛	ȵʑɪæt 熱如列	
	sɪæt 薛私列								

聲調	韻攝	韻目	類別	開合	等韻	等列	相配 舌	相配 齒	聲值\韻值	p 幫	p' 滂	b 並	m 明	t \ ʈ 端 \ 知
						2		tʃ系						
平聲	山攝	二八仙	合韻(重紐)	合	三	3	ʈ系	tɕ系	B ɪuæn					
						4		ts系	A iuæn					
						2		崇紐						
上聲	山攝	二六獮	合韻(重紐)	合	三	3	ʈ系	tɕ系	B ɪuæn					ʈ ɪuæn 轉陟兗
						4		ts系	A iuæn					
						2		tʃ系						
去聲	山攝	三一線	合韻(重紐)	合	三	3	ʈ系	tɕ系	B ɪuæn					ʈ ɪuæn 囀知戀
						4		ts系	A iuæn					
						2		tʃ系						
入聲	山攝	十五薛	合韻(重紐)	合	三	3	ʈ系	tɕ系	B ɪuæt					ʈ ɪuæt 輟陟劣
						4		ts系	A iuæt					

t'\ʈ' 透\徹	d\ɖ 定\澄	n\ɳ 泥\娘	k 見	k' 溪	g 群	ŋ 疑	ts\tʃ\tɕ 精\莊\章	ts'\tʃ'\tɕ' 清\初\昌
							tʃɪuæn 跧莊緣	
ʈ'ɪuæn 猭丑專	ɖɪuæn 椽直緣		kɪuæn 勬居員	k'ɪuæn 眷去員	gɪuæn 權巨員		tɕɪuæn 專職緣	tɕ'ɪuæn 穿昌緣
							tsɪuæn 鐫子泉	tsɪuæn 詮此緣
	ɖɪuæn 篆治兗		kɪuæn 卷古轉		gɪuæn 圈渠篆		tɕɪuæn 剸旨兗	tɕ'ɪuæn 舛昌兗
					giuæn 蜎狂兗		tsɪuæn 臇姊兗	
								tʃ'ɪuæn 篹所眷
ʈ'ɪuæn 猭丑戀	ɖɪuæn 傳直戀		kɪuæn 眷居倦	k'ɪuæn* 𡖶丘弁	gɪuæn 倦渠卷		tɕɪuæn 剸之囀	tɕ'ɪuæn 釧尺絹
			kiuæn 絹吉掾					ts'ɪuæn 縓七選
							tʃɪuæt 茁側劣	
ʈ'ɪuæt [illegible]丑劣		ɳɪuæt 吶女劣	kɪuæt 蹶紀劣				tɕɪuæt 拙職雪	tɕ'ɪuæt 歠昌雪
				k'iuæt 缺傾雪			tsɪuæt 蕝子悅	tsɪuæt 膬七絕

dz\dʒ\dʑ 從\崇\禪	s\ʃ\ɕ 心\山\書	z\ʒ\ʑ 邪\俟\船	x 曉	ɣ 匣	ʔ 影	j 喻	l 來	ȵʑ 日	反切下字
									員專緣川泉宣權
	ʃɪuæn 栓山員								
dʑɪuæn 遄市緣		ʑɪuæn 船食川		ɣɪuæn 員王權	ʔɪuæn 嬽於權		lɪuæn 攣呂員	ȵʑɪuæn 壖而緣	
dzɪuæn 全聚緣	sɪuæn 宣須緣	zɪuæn 旋似宣	xiuæn 翾許緣		ʔiuæn 娟於緣	jɪuæn 沿与專			
									轉篆兗(免)
dʒɪuæn 撰士免									
	ɕɪuæn 腨視兗						lɪuæn 臠力兗	ȵʑɪuæn 輭而兗	
	sɪuæn 選思兗	zɪuæn 吮徐兗	xiuæn 蠉香兗			jɪuæn 兗以轉			
									倦掾弁卷戀眷囀絹釧選(變)
dʒɪuæn 饌士變									
dʑɪuæn 抾豎釧				ɣɪuæn 瑗王眷			lɪuæn 戀力卷	ȵʑɪuæn 㬉人絹	
	sɪuæn 選息絹	zɪuæn 淀辭選				jɪuæn 掾以絹			
									劣雪爇悅絕㦖
	ʃɪuæt 㕞所劣								
dʑɪuæt 啜樹雪	ɕɪuæt 說失爇		xɪuæt 旻許劣		ʔɪuæt 噦乙劣		lɪuæt 劣㦖力	ȵʑɪuæt 爇如雪	
dzɪuæt 絕情雪	sɪuæt 雪相絕	zɪuæt [illegible]寺絕			ʔiuæt 抉於悅	jɪuæt 悅翼雪			

聲調	韻攝	韻目	類別	開合	等韻	等列	相配 舌	齒	\聲值 韻值\	p 幫	p‘ 滂	b 並	m 明	t \ ȶ 端\ 知
平聲	效攝	三二 豪	獨 韻	開	一	1	t 系	ts 系	au	pau 褒博毛		bau 袍薄褒	mau 毛莫袍	tau 刀都勞
		三一 肴	獨 韻	開	二	2	ȶ 系	tʃ 系	au	pau 包布交	p‘au 胞匹交	bau 庖薄交	mau 茅莫交	ȶ au 嘲張交
		二九 蕭	獨 韻	開	四	4	t 系	心 紐	eu					teu 貂都聊
上聲	效攝	三十 皓	獨 韻	開	一	1	t 系	ts 系	au	pau 寶博抱		bau 抱薄浩	mau* 蓩武道	tau 倒都浩
		二九 巧	獨 韻	開	二	2	泥 紐	tʃ 系	au	pau 飽博巧		bau 鮑薄巧	mau 卯莫飽	
		二七 篠	獨 韻	開	四	4	t 系	ts 系	eu					teu 鳥都了
去聲	效攝	三五 號	獨 韻	開	一	1	t 系	ts 系	au	pau 報博耗		bau 暴薄報	mau 帽莫報	tau 到都導
		三四 效	獨 韻	開	二	2	ȶ 泥紐	tʃ 系	au	pau 豹博教	p‘au 奅匹皃	bau 靤防教	mau 貌莫教	ȶ au * 罩知教
		三二 嘯	獨 韻	開	四	4	t 系	心 紐	eu					teu 弔多嘯

t'\ȶ' 透\徹	d\ȡ 定\澄	n\ȵ 泥\娘	k 見	k' 溪	g 群	ŋ 疑	ts\tʃ\tɕ 精\莊\章	ts'\tʃ'\tɕ' 清\初\昌
t'ɑu 饕吐高	dɑu 陶徒刀	nɑu 猱奴刀	kɑu 高古勞	k'ɑu 尻苦勞		ŋɑu 敖五勞	tsɑu 糟作曹	ts'ɑu 操七刀
		ȵau 鐃女交	kau 交古肴	k'au 敲口交		ŋau 聱五交	tʃau 䁨側交	tʃ'au [illegible]楚交
t'eu 祧吐彫	deu 迢徒聊		keu 驍古堯	k'eu 鄡苦聊		ŋeu 堯五聊		
t'ɑu 討他浩	dɑu 道徒浩	nɑu 腦奴浩	kɑu 暠古老	k'ɑu 考苦浩		ŋɑu* [illegible]五老	tsɑu 早子浩	ts'ɑu 草七掃
		nau 獿奴巧	kau 絞古巧	k'au 巧苦絞		ŋau 齩五巧	tʃau 爪側絞	tʃ'au 煼楚巧
t'eu 朓吐鳥	deu 窕徒了	neu 嬲奴鳥	keu 皎古了	k'eu 磽苦皎			tseu 楸子了	
t'ɑu 韜他到	dɑu 導徒到	nɑu 腦奴到*	kɑu 誥古到	k'ɑu 鎬苦到		ŋɑu 傲五到	tsɑu 則到	ts'ɑu 操七到
ȶ'au 趠褚教	dau 棹直教	nau 橈奴効	kau 教古孝	k'au 敲苦教		ŋau 樂五教	tʃau 抓側教	tʃ'au 抄初教
t'eu 糶他弔	deu 藋徒弔	neu 尿奴弔	keu 叫古弔	k'eu 竅苦弔		ŋeu 顤五弔		

dz\dʒ\dʑ 從\崇\禪	s\ʃ\ɕ 心\山\書	z\ʒ\ʑ 邪\俟\船	x 曉	ɣ 匣	ʔ 影	j 喻	l 來	ȵ ʑ 日	反切 下字
dzɑu 曹昨勞	sɑu 騷蘇遭		xɑu 蒿呼高	ɣɑu 豪胡刀	ʔɑu 爊於刀		lɑu 勞盧刀		勞高刀曹蒿毛褒袍遭
dʒau 巢鋤肴	ʃau 梢所交		xau 虓許交	ɣau 肴胡茅	ʔau [illegible]於交				肴交茅
	seu 蕭蘇彫		xeu 膮許幺		ʔeu 幺於堯		leu 聊落蕭		堯聊彫幺蕭
dzɑu 皂昨早	sɑu 嫂蘇皓		xɑu 好呼浩	ɣɑu 皓胡老	ʔɑu 襖烏浩		lɑu 老盧浩		老浩抱道掃早皓
	ʃau 梢所絞			ɣau [illegible]下巧	ʔau 拗於絞				巧絞飽
	seu 篠蘇鳥		xeu 曉呼鳥	ɣeu 皛胡了	ʔeu 杳烏皎		leu 了盧鳥		了皎鳥
dzɑu 漕在到	sɑu 喿蘇到		xɑu 秏呼到	ɣɑu 号胡到	ʔɑu 奧烏到		lɑu 嫪盧到		到導秏報
dʒau 巢仕稍	ʃau 稍所教		xau 孝呼教	ɣau 效胡教	ʔau 拗乙罩				孝効教稍罩皃
	seu 嘯蘇弔				ʔeu* 窅於弔		leu 顟力弔		弔嘯

聲調	韻攝	韻目	類別	開合	等韻	等列	相配 舌	相配 齒	\聲值 韻值\	p 幫	p' 滂	b 並	m 明	t \ ȶ 端 \ 知
平聲	效攝	三十宵	獨韻(重紐)	開	三	3 4	ȶ 系	tɕ 系 ts 系	B ɪæu	pɪæu 鑣甫嬌			mɪæu 苗武瀌	ȶɪæu 朝知遙
									A iæu	piæu 飆甫遙	p'iæu 漂撫遙	biæu 瓢符宵	miæu 蜱無遙	
上聲	效攝	二八小	獨韻(重紐)	開	三	3 4	澄 紐	tɕ 系 ts 系	B ɪæu	pɪæu 表方矯		bɪæu 藨平表		
									A iæu	piæu 表方小	p'iæu 縹敷沼	biæu 摽符小	miæu 眇七沼	
去聲	效攝	三三笑	獨韻(重紐)	開	三	3 4	ȶ 系	tɕ 系 ts 系	B ɪæu				mɪæu 廟眉召	
									A iæu	piæu 裱方廟	p'iæu 剽匹笑	biæu 驃毗召	miæu 妙弥照	

t‘ \ ʈ‘ 透 \ 徹	d \ ɖ 定 \ 澄	n \ ɳ 泥 \ 娘	k 見	k‘ 溪	g 群	ŋ 疑	ts\ tʃ\t ɕ 精\莊\章	ts‘\ tʃ‘ \t ɕ‘ 清 \初 \昌
ʈ‘ɪæu 超勅宵			kɪæu 驕舉喬	k‘ɪæu 蹻去囂	gɪæu 喬巨朝		t ɕ ɪæu 昭止遙	t ɕ‘ɪæu 怊尺招
				k‘iæu 趫去遙	giæu 翹渠遙		tsɪæu 焦即遙	ts‘ɪæu 鍬七遙
	ɖ ɪæu 肇直小		kɪæu 矯居沼		gɪæu* 蹻巨小		t ɕ ɪæu 沼之小	t ɕ‘ɪæu 麨尺紹
							tsɪæu 勦子小 *	ts‘ɪæu 悄七小
ʈ‘ɪæu 朓丑召	ɖ ɪæu 召直笑				gɪæu 嶠渠廟		t ɕ ɪæu 照之笑	
				k‘iæu 趬丘召	giæu 翹渠要	ŋiæu [illegible]牛召	tsɪæu 醮子肖	ts‘ɪæu 陗七笑

dz\dʒ\dʑ 從\崇\禪	s\ʃ\ɕ 心\山\書	z\ʒ\ʑ 邪\俟\船	x 曉	ɣ 匣	ʔ 影	j 喻	l 來	ȵʑ 日	反切 下字
dʑɪæu 韶市招	ɕɪæu 燒式招		xɪæu 囂許喬	ɣɪæu 鴞于驕	ʔɪæu 妖於喬		lɪæu 燎力昭	ȵʑɪæu 饒如招	喬囂昭 朝遙 宵驕 招焦
dzɪæu 樵昨焦	sɪæu 宵相焦				ʔiæu 腰於宵	jɪæu 遙余招			
dʑɪæu 紹市沼	ɕɪæu 少書沼				ʔɪæu 夭於兆		lɪæu 繚力小	ȵʑɪæu 擾而沼	沼小 矯表 紹兆
	sɪæu 小私兆				ʔiæu 闄於小	jɪæu 鷕以沼			
dʑɪæu 邵寔曜	ɕɪæu 少失召						lɪæu 燎力照		廟召要 笑照肖 妙曜
dzɪæu 噍才笑	sɪæu 笑私妙				ʔiæu 要於笑	jɪæu 曜弋笑			

聲調	韻攝	韻目	類別	開合	等韻	等列	相配 舌	相配 齒	聲值\韻值\	p 幫	p' 滂	b 並	m 明	t \ ȶ 端\ 知
平聲	果攝	三三 歌	合韻	開	一	1	t 系	ts 系	a					ta 多得何
					三	3 4	/	/	ɪa					
上聲	果攝	三一 哿	合韻	開	一	1	t 系	ts 系	a					ta 嚲丁可
去聲	果攝	三六 箇	合韻	開	一	1	t 系	ts 系	a					ta 跢丁佐

t'\ʈ' 透\徹	d\ɖ 定\澄	n\ɳ 泥\娘	k 見	k' 溪	g 群	ŋ 疑	ts\tʃ\tɕ 精\莊\章	ts'\tʃ'\tɕ' 清\初\昌
t'a 他託何	da 駝徒何	na 那諾何	ka 哥古娥	k'a 珂苦何		ŋa 莪五哥		ts'a 蹉七何
			kɪa 迦居呿	k'ɪa 呿墟迦	gɪa * 伽求迦			
	da 爹徒可	na 橠乃可	ka 哿古我	k'a 可枯我		ŋa 我五可	tsa 左作可	ts'a 瑳千可
t'a * 拖吐邏	da 馱唐佐	na 奈奴箇	ka 箇古賀	k'a 坷口佐		ŋa 餓五箇	tsa 佐作箇	ts'a 磋七箇

dz\dʒ\dʑ 從\崇\禪	s\ʃ\ɕ 心\山\書	z\ʒ\ʑ 邪\俟\船	x 曉	ɣ 匣	ʔ 影	j 喻	l 來	ȵ ʑ 日	反切 下字
dza 醝昨何*	sa 娑素何		xa 訶虎何	ɣa 何胡歌	ʔa 阿烏何		la 羅盧何		娥何 哥歌
									呿 迦 (柯)
						jɪa * 虵夷柯			
	sa 縒蘇可		xa 㰤呼我	ɣa 苛胡可	ʔa * 閜烏可		la 櫑勒可		我 可
	sa 些蘇箇		xa 㰤呼箇	ɣa 賀何箇	ʔa 侉烏佐		la 邏盧箇		賀佐 箇邏

聲調	韻攝	韻目	類別	開合	等韻	等列	相配 舌	 齒	聲值\ 韻值\	p 幫	p' 滂	b 並	m 明	t \ ȶ 端 \ 知
平聲	果攝	三三 歌	合韻	合	一	1	t 系	ts 系	ua	pa 波博河	p'a 頗滂河	ba 婆薄波	ma 摩莫波	tua 𠁊丁戈
					三	3	/	/	ɪua					
上聲	果攝	三一 哿	合韻	合	一	1	t 系	ts 系	ua	pa 跛皮火	p'a 叵普可	ba 爸蒲可	ma 䯢莫可	tua 埵丁果
					三	3	/	/	ɪua					
去聲	果攝	三六 箇	合韻	合	一	1	t 系	ts 系	ua	pa 播補箇	p'a 破普臥		ma 磨暮箇	tua 桗丁過

t'\ ʈ' 透\徹	d\ ɖ 定\澄	n\ ȵ 泥\娘	k 見	k' 溪	g 群	ŋ 疑	ts\ tʃ\tɕ 精\莊\章	ts'\ tʃ'\tɕ' 清\初\昌
t'ua 詑吐和	dua 牠徒和	nua 挼奴和	kua 過古和	k'ua 科苦和		ŋua 訛五和	tsua 侳子過	ts'ua 脞倉和
t'ua 妥他果	dua 墮徒果	nua 𡛟奴果	kua 果古火	k'ua 顆枯果		ŋua 姽五果		ts'ua 䂳倉顆
t'ua 唾吒臥	dua 憜徒臥	nua 愞乃臥	kua 過古臥	k'ua 課苦臥		ŋua 臥吳貨	tsua 挫則臥*	ts'ua 剉麤臥

dz\dʒ\dʑ 從\崇\禪	s\ʃ\ɕ 心\山\書	z\ʒ\ʑ 邪\俟\船	x 曉	ɣ 匣	ʔ 影	j 喻	l 來	ȵ ʑ 日	反切下字
dzuɑ 痤昨和	suɑ 莎蘇禾			ɣuɑ 和胡過	ʔuɑ 倭烏和		luɑ 臝落過		和戈過 禾波(河)
			xɪuɑ * 鞾火戈	ɣɪuɑ * 喎于戈					(戈)
dzuɑ 坐阻果	suɑ 鎖蘇果		xuɑ 火呼果	ɣuɑ 禍胡果	ʔuɑ 婐烏果		luɑ 躶郎果		火顆 果(可)
				ɣɪuɑ * 過于果					(果)
dzuɑ 坐在臥	suɑ 膹先臥		xuɑ 貨呼臥	ɣuɑ 和胡臥	ʔuɑ* 涴烏臥		luɑ 臝郎過		臥過 貨(箇)

聲調	韻攝	韻目	類別	開合	等韻	等列	相配 舌	相配 齒	\聲值 韻值\	p 幫	p' 滂	b 並	m 明	t\ȶ 端\知
平	假		合		二	2	ȶ 系	tʃ 系	a	pa 巴伯加	p'a 葩普巴	ba 爬蒲巴	ma 麻莫霞	ȶa 奓陟加
		三四 麻		開	三	3		tɕ 系	ɪa					
聲	攝		韻			4								
上	假		合		二	2	知紐 泥紐	tʃ 系	a	pa 把博下			ma 馬莫下	ȶa 縿竹下
		三二 馬		開	三	3		tɕ 系	ɪa					
聲	攝		韻			4								
去	假		合		二	2	ȶ t 系系	tʃ 系	a	pa 霸博駕	p'a 帊芳霸	ba 䏒白駕	ma 禡莫駕	ȶa 吒陟訝
		三七 禡		開	三	3		tɕ 系	ɪa					
聲	攝		韻			4								

ʈ'\ʈ' 透\徹	d\ɖ 定\澄	n\ɳ 泥\娘	k 見	k' 溪	g 群	ŋ 疑	ts\tʃ\tɕ 精\莊\章	ts'\tʃ'\tɕ' 清\初\昌
ʈ'a 侘勑加	ɖa 茶宅加	ɳa 拏女加	ka 嘉古牙	k'a 齣客加		ŋa 牙五加	tʃa 樝側加	tʃ'a 叉初牙
							tɕɪa 遮止奢	tɕ'ɪa 車昌遮
							tsɪa 嗟子邪	
		na 絮奴下	ka 檟古雅	k'a 跒苦夏		ŋa 雅五下	tʃa 鮓側下	
							tɕɪa 者之野	tɕ'ɪa 奲車者
							tsɪa 姐茲野	ts'ɪa 且七野
ʈ'a 詫丑亞	da 塗徒嫁	na 胗乃亞	ka 駕古訝	k'a 髂口訝		ŋa 迓吾駕	tʃa 詐側訝	
							tɕɪa 柘之夜	tɕ'ɪa 赿充夜
							tsɪa 唶子夜	ts'ɪa 笡淺謝

dz\dʒ\dʑ 從\崇\禪	s\ʃ\ɕ 心\山\書	z\ʒ\ʑ 邪\俟\船	x 曉	ɣ 匣	ʔ 影	j 喻	l 來	ȵʑ 日	反切下字
dʒa 楂鋤加	ʃa 砂所加		xa 煆許加	ɣa 遐胡加	ʔa 鵶焉加				牙加巴霞
dʑɪa 闍視奢	ɕɪa 奢式車	ʑɪa 蛇食遮						ȵʑɪa 婼而遮	奢庶車邪耶嗟
dzɪa 査才耶		zɪa 衺似嗟				jɪa 耶以遮			
dʒa 槎士下			xa 閜許下	ɣa 下胡雅	ʔa* 啞烏雅				雅夏下
dʑɪa 社市者	ɕɪa 捨書者							ȵʑɪa 若人者	野者
	sɪa 寫悉野	zɪa 灺徐野				jɪa 野以者			
dʒa 乍鋤駕	ʃa 沙色亞		xa 嚇呼訝		ʔa 亞烏訝				訝駕亞嫁霸
	ɕɪa 舍始夜	ʑɪa 射神夜							夜謝
dzɪa 褯慈夜	sɪa* 蝑思夜	zɪa 謝似夜				jɪa 夜以謝			

聲調	韻攝	韻目	類別	開合	等韻	等列	相配 舌	齒	\聲值 韻值\	p 幫	pʻ 滂	b 並	m 明	t \ ʈ 端 \ 知
平聲	假攝	三四 麻	合韻	合	二	2	知紐	莊紐	ua					ʈua 檛陟瓜
上聲	假攝	三二 馬	合韻	合	二	2	端紐	初紐	ua					tua 觰都下
					三				ɪua					
						4	/	心紐						
去聲	假攝	三七 禡	合韻	合	二	2	/	山紐	ua					

t'\ȶ' 透\徹	d\ȡ 定\澄	n\ȵ 泥\娘	k 見	k' 溪	g 群	ŋ 疑	ts\tʃ\tɕ 精\莊\章	ts'\tʃ'\tɕ' 清\初\昌
			kua 瓜古華	k'ua 誇苦瓜			tʃua 髽莊花	
			kua 寡古瓦	k'ua 髁口瓦		ŋua 瓦五寡		tʃ'ua 䂳叉瓦
			kua 坬古罵	k'ua 跨苦化		ŋua 瓦五化		

dz\dʒ\d ʑ 從\崇\禪	s\ ʃ\ ɕ 心\山\書	z\ ʒ \ ʑ 邪\俟\船	x 曉	ɣ 匣	ʔ 影	j 喻	l 來	ɳ ʑ 日	反切 下字
			xua 花呼瓜	ɣua 華戶花	ʔua 窊烏瓜				華 瓜 花
				ɣua 踝胡瓦					瓦(下) 寡 (寡)
	sɪua 葰蘇寡 *								
	ʃua 誜所化		xua 化霍霸	ɣua 摦胡化	ʔua 窊烏坬				罵化 (霸) 坬

聲調	韻攝	韻目	類別	開合	等韻	等列	相配 舌	相配 齒	聲值\韻值	p 幫	pʻ 滂	b 並	m 明	t \ ȶ 端 \ 知
平聲	宕攝	三八 唐	合韻	開	一	1	t 系	ts 系	ɑŋ		pʻɑŋ 滂普郎	bɑŋ 傍步光	mɑŋ 茫莫郎	tɑŋ 當都郎
		三七 陽	合韻	開	三	2		tʃ 系						
						3	ȶ 系	tɕ 系	ɪɑŋ	pɪɑŋ 方府長	pʻɪɑŋ 芳敷方	bɪɑŋ 房符方	mɪɑŋ 亡武方	ȶ ɪɑŋ 張陟良
						4		ts 系						
上聲	宕攝	三六 蕩	合韻	開	一	1	t 系	ts 系	ɑŋ		pʻɑŋ 髈匹朗	bɑŋ 榜薄朗	mɑŋ 莽莫朗	tɑŋ 黨德朗
		三五 養	合韻	開	三	2		tʃ 系						
						3	ȶ 系	tɕ 系	ɪɑŋ	pɪɑŋ 昉方兩	pʻɪɑŋ 髣芳兩		mɪɑŋ 罔文兩	ȶ ɪɑŋ 長中兩
						4		ts 系						
去聲	宕攝	四一 宕	合韻	開	一	1	t 系	ts 系	ɑŋ	pɑŋ 謗補曠		bɑŋ 傍蒲浪	mɑŋ 漭無浪	tɑŋ 讜丁浪
		四十 漾	合韻	開	三	2		tʃ 系						
						3	ȶ 系	tɕ 系	ɪɑŋ	pɪɑŋ 放府妄	pʻɪɑŋ 訪敷亮	bɪɑŋ* 防扶況	mɪɑŋ 妄武放	ȶ ɪɑŋ 帳陟亮
						4		ts 系						
入聲	宕攝	二八 鐸	合韻	開	一	1	t 系	ts 系	ɑk	pɑk 博補各	pʻɑk 粕匹各	bɑk 泊傍各	mɑk 莫慕各	
		二七 藥	合韻	開	三	2		莊紐						
						3	ȶ 系	tɕ 系	ɪɑk			bɪɑk 縛符玃		ȶ ɪɑk 著竹略
						4		ts 系						

t'\ʈ' 透\徹	d\ɖ 定\澄	n\ɳ 泥\娘	k 見	k' 溪	g 群	ŋ 疑	ts\tʃ\tɕ 精\莊\章	ts'\tʃ'\tɕ' 清\初\昌
t'aŋ 湯吐郎	daŋ 唐徒郎	naŋ 囊奴當	kaŋ 剛古郎	k'aŋ 康苦岡		ŋaŋ 卬五剛	tsaŋ 臧則郎	ts'aŋ 倉七剛
							tʃɪaŋ 莊側羊	tʃ'ɪaŋ 瘡楚良
ʈ'ɪaŋ 募褚良	ɖɪaŋ 長直良	ɳɪaŋ 孃女良	kɪaŋ 薑居良	k'ɪaŋ 羌去良	gɪaŋ 強巨良		tɕɪaŋ 章諸良	tɕ'ɪaŋ 昌處良
							tsɪaŋ 將即良	ts'ɪaŋ 鏘七將
t'aŋ 曭他朗	daŋ 蕩堂朗	naŋ 曩奴朗	kaŋ 骯各朗	k'aŋ 慷苦朗			tsaŋ 駔子朗	
								tʃ'ɪaŋ 磢測兩 *
ʈ'ɪaŋ 昶丑兩	ɖɪaŋ 丈直兩		kɪaŋ 繈居兩		gɪaŋ 彊其兩	ŋɪaŋ 仰魚兩	tɕɪaŋ 掌職兩	tɕ'ɪaŋ 敞昌兩
							tsɪaŋ 獎即兩	
t'aŋ 儻他浪	daŋ 宕杜浪	naŋ 儾奴浪		k'aŋ 抗苦浪		ŋaŋ 枊五浪	tsaŋ 葬則盎	
							tʃɪaŋ 壯側亮	tʃ'ɪaŋ 創初亮
ʈ'ɪaŋ 悵丑亮	ɖɪaŋ 丈直亮	ɳɪaŋ 釀女亮	kɪaŋ 疆居亮	k'ɪaŋ 唴丘亮	gɪaŋ 弶其亮	ŋɪaŋ* 軻語向	tɕɪaŋ 障之亮	tɕ'ɪaŋ 唱昌亮
							tsɪaŋ 醬即亮	ts'ɪaŋ 蹡七亮
t'ak 託他各	dak 鐸徒各	nak 諾奴各	kak 各古落	k'ak 恪苦各		ŋak 愕五各	tsak 作子洛	ts'ak 錯倉各
							tʃɪak 斮側略	
ʈ'ɪak* [illegible]丑略	ɖɪak 著直略		kɪak 腳居灼	k'ɪak 卻去約	gɪak 噱其虐	ŋɪak 虐魚約	tɕɪak 灼之藥	tɕ'ɪak 綽處灼
							tsɪak 爵即略	ts'ɪak 鵲七雀

dz\dʒ\dʑ 從\崇\禪	s\ʃ\ɕ 心\山\書	z\ʒ\ʑ 邪\俟\船	x 曉	ɣ 匣	ʔ 影	j 喻	l 來	ȵʑ 日	反切下字
dzaŋ 藏昨郎	saŋ 桑息郎		xaŋ 炕呼郎	ɣaŋ 航胡郎	ʔaŋ 鴦烏郎		laŋ 郎魯當		郎岡崗當(光)
dʒɪaŋ 床士莊	ʃɪaŋ 霜所良								方 良長
dʑɪaŋ 常時羊	ɕɪaŋ 商書羊		xɪaŋ 香許良		ʔɪaŋ 央於良		lɪaŋ 良呂張	ȵʑɪaŋ 穰汝陽	羊莊 將張
dzɪaŋ 牆疾良	sɪaŋ 襄息良	zɪaŋ 詳似羊				jɪaŋ 陽与章			陽章
dzaŋ 奘在朗	saŋ 顙蘇朗			ɣaŋ 沆胡朗	ʔaŋ 坱烏朗		laŋ 朗盧黨		朗 黨
	ʃɪaŋ 爽踈兩								兩
dʑɪaŋ 上時掌	ɕɪaŋ 賞識兩*		xɪaŋ 響許兩		ʔɪaŋ 鞅於兩		lɪaŋ 兩良獎	ȵʑɪaŋ 壤如兩	掌 獎
	sɪaŋ 想息兩	zɪaŋ 像詳兩				jɪaŋ 養餘兩			
dzaŋ 藏徂浪	saŋ 喪蘇浪		xaŋ 荒呼浪	ɣaŋ 吭下浪	ʔaŋ 盎阿浪		laŋ 浪郎宕		浪盎 宕(曠)
dʒɪaŋ 狀鋤亮									亮
dʑɪaŋ 尙常亮	ɕɪaŋ 餉式亮		xɪaŋ 向許亮		ʔɪaŋ 怏於亮		lɪaŋ 亮力讓	ȵʑɪaŋ 讓如狀	向讓 狀妄
dzɪaŋ 匠疾亮	sɪaŋ 相息亮					jɪaŋ 漾餘亮			放(況)
dzak 昨在各	sak 索蘇各		xak 臛呵各	ɣak 涸下各	ʔak 惡烏各		lak 落盧各		落 各
									虐略
dʑɪak 妁市若	ɕɪak 爍書藥		xɪak 謔虛約		ʔɪak 約於略		lɪak 略離灼	ȵʑɪak 若而灼	灼約 藥若
dzɪak 皭在爵	sɪak 削息略					jɪak 藥以灼			雀爵 (矍)

聲調	韻攝	韻目	類別	開合	等韻	等列	相配		聲值\韻值	p	pʻ	b	m	t \ ȶ
							舌	齒		幫	滂	並	明	端 \ 知
平聲	宕攝	三八唐	合韻	合	一	1	/	/	uaŋ					
		三七陽	合韻	合	三	3	/	/	ɪuaŋ					
上聲	宕攝	三六蕩	合韻	合	一	1	/	/	uaŋ					
		三五養	合韻	合	三	3	/	/	ɪuaŋ					
去聲	宕攝	四一宕	合韻	合	一	1	/	/	uaŋ					
		四十漾	合韻	合	三	3	/	/	ɪuaŋ					
入聲	宕攝	二八鐸	合韻	合	一	1	/	/	uak					
		二七藥	合韻	合	三	3	/	/	ɪuak					

t'\ȶ' 透\徹	d\ȡ 定\澄	n\ȵ 泥\娘	k 見	k' 溪	g 群	ŋ 疑	ts\tʃ\tɕ 精\莊\章	ts'\tʃ'\tɕ' 清\初\昌
			kuaŋ 光古皇	k'uaŋ 𩨍苦光				
				k'ɪuaŋ 匡去王	gɪuaŋ 狂渠王			
			kuaŋ 廣古晃					
			kɪuaŋ 臩俱往		gɪuaŋ [illegible]渠往			
			kuaŋ 廣姑曠	k'uaŋ* 曠苦謗				
			kɪuaŋ 誑九忘		gɪuaŋ 狂渠放			
			kuak 郭古博	k'uak 廓苦郭				
			kɪuak 玃居縛		gɪuak 戄衢矍			

dz\dʒ\d ʑ 從\崇\禪	s\ ʃ \ ɕ 心\山\書	z\ ʒ \ ʑ 邪\俟\船	x 曉	ɣ 匣	ʔ 影	j 喻	l 來	ȵ ʑ 日	反切 下字
			xuaŋ 荒呼光	ɣuaŋ 黃胡光	ʔ uaŋ 汪烏光				皇 光
				ɣɪuaŋ 王雨方					王 (方)
			xuaŋ 慌虎晃	ɣuaŋ 晃胡廣	ʔ uaŋ 汪烏晃				晃 廣
			xɪuaŋ 怳許昉	ɣɪuaŋ 往王雨	ʔ ɪuaŋ 枉紆往				往(兩) (昉)
				ɣuaŋ* 潢胡曠	ʔ uaŋ 汪烏光 *				曠謗 光
			xɪuaŋ 況許訪	ɣɪuaŋ 廷于放					忘(放) (訪)
			xuaŋ 霍虎郭	ɣuaŋ 穫胡郭	ʔ uak 嚄烏郭				博 郭
			xɪuak 矆許縛	ɣɪuak 籰王縛	ʔ ɪuak 嬳憂縛				(縛) 籰

聲調	韻攝	韻目	類別	開合	等韻	等列	相配 舌	相配 齒	聲值\韻值	p 幫	p' 滂	b 並	m 明	t\ʈ 端\知
平聲	曾攝	五十 登	合韻	開	一	1	t系	ts系	əŋ	pəŋ 崩北滕		bəŋ 朋步稜	məŋ 瞢武登	təŋ 登都滕
		四九 蒸	合韻	開	三	2		山紐						
						3	ʈ系	tɕ系	ɪeŋ	pɪeŋ 冰筆淩		bɪeŋ 憑扶冰		ʈɪeŋ 徵陟陵
						4		從紐						
上聲	曾攝	四八 等	合韻	開	一	1	t系	ts系	əŋ		p'əŋ 倗普等			təŋ 等多肯
		四七 拯	合韻	開	三									
						3	/	章紐	ɪeŋ					
去聲	曾攝	五三 嶝	合韻	開	一	1	t系	ts系	əŋ	pəŋ [illegible]方鄧		bəŋ 倗父鄧	məŋ 懵武亙	təŋ 嶝都鄧
		五二 證	合韻	開	三	2		山紐						
						3	ʈ系	tɕ系	ɪeŋ			bɪeŋ* 凴皮孕		
						4		精紐						
入聲	曾攝	三九 德	合韻	開	一	1	t系	ts系	ək	pək 北波墨		bək 菔傍北	mək 墨莫北	tək 德多則
		二九 職	合韻	開	三	2		山紐						
						3	ʈ系	tɕ系	ɪek	pɪek 逼彼側	p'ɪek 堛丕逼	bɪek 愎皮逼		ʈɪek 陟竹力
						4		ts系						

t'\ȶ' 透\徹	d\ȡ 定\澄	n\ȵ 泥\娘	k 見	k' 溪	g 群	ŋ 疑	ts\tʃ\tɕ 精\莊\章	ts'\tʃ'\tɕ' 清\初\昌
t'əŋ 鼟他登	dəŋ 滕徒登	nəŋ 能奴登	kəŋ 揯古恒				tsəŋ 增作滕	
ȶ'ɪeŋ 僜丑升	ȡɪeŋ 澄直陵		kɪeŋ 兢居陵	k'ɪeŋ* 硱綺陵	gɪeŋ 殑其矜	ŋɪeŋ 疑魚陵	tɕɪeŋ 蒸諸膺*	tɕ'ɪeŋ 稱處陵
				k'əŋ 肯苦等				
							tɕɪeŋ 拯*	
	dəŋ 鄧徒亙		kəŋ 亙古鄧				tsəŋ 增子鄧	ts'əŋ 蹭七贈
ȶ'ɪeŋ 覴丑證	ȡɪeŋ 眙丈證						tɕɪeŋ 證諸膺	tɕ'ɪeŋ 稱蚩證
							tsɪeŋ 甑子孕	
t'ək 忒他則	dək 特徒德	nək [illegible]乃北		k'ək 刻苦德			tsək 側即勒	
							tʃɪek 稄阻力	tʃ'ɪek 測初力
	ȡɪek 直除力	ȵɪek 匿女力	kɪek 殛紀力	k'ɪek [illegible]丘力	gɪek 極渠力	ŋɪek 嶷魚力	tɕɪek 職之翼	
							tsɪek 即子力	

dz\dʒ\dʑ 從\崇\禪	s\ʃ\ɕ 心\山\書	z\ʒ\ʑ 邪\俟\船	x 曉	ɣ 匣	ʔ 影	j 喻	l 來	ȵ ʑ 日	反切 下字
dzəŋ 層昨稜	səŋ 僧蘇曾			ɣəŋ 恒胡登			ləŋ 愣盧登		恒滕登稜曾
	ʃɪeŋ 殅山矜								陵 矜 升 淩 冰 膺 丞
dʑɪeŋ 承署陵	ɕɪeŋ 升識丞	ʑɪeŋ 繩食淩	xɪeŋ 興虛陵				lɪeŋ 陵力膺	ȵʑɪeŋ 仍如丞	
dzɪeŋ 繒疾陵						jɪeŋ 蠅余陵			
									肯等
dzəŋ 贈昨亙	səŋ [illegible]思贈						ləŋ 僜魯鄧		嶝鄧亙蹭贈
									證 孕 譍 甑
dʑɪeŋ 烝時證	ɕɪeŋ 勝詩證	ʑɪeŋ 乘實證	xɪeŋ 興許譍		ʔɪeŋ 譍於證		lɪeŋ 餕里甑	ȵʑɪeŋ 認而證	
						jɪeŋ 孕以證			
dzək 賊藏則	sək 塞蘇則		xək 黑呼德		ʔək 餩愛墨		lək 勒盧德		德則北墨勒
dʒɪek 崱士力	ʃɪek 色所力								力 側 逼 翼 職 即 直
dʑɪek 寔常職	ɕɪek 識商職	ʑɪek 食乘力	xɪek 赩許力		ʔɪek 憶於力		lɪək 力良直		
dzɪek 堲秦力	sɪek 息相即					jɪek 弋与職			

聲調	韻攝	韻目	類別	開合	等韻	等列	相配 舌	相配 齒	\聲值 韻值\	p 幫	p' 滂	b 並	m 明	t \ ȶ 端 \ 知
平聲	曾攝	五十 登	合韻	合	一	1	/	/	uəŋ					
		四九 蒸	合韻	合	三									
上聲	曾攝	四八 等	合韻	合	一	1	/	/	uəŋ					
		四七 拯	合韻	合	三									
去聲	曾攝	五三 嶝	合韻	合	一	1	/	/	uəŋ					
		五二 證	合韻	合	三									
入聲	曾攝	三十 德	合韻	合	一	1	/	/	uəŋ					
		二九 蒸	合韻	合	三	3	/	/	ɪuek					

t' \ ȶ' 透 \ 徹	d \ ȡ 定 \ 澄	n \ ȵ 泥 \ 娘	k 見	k' 溪	g 群	ŋ 疑	ts\ tʃ\t ɕ 精\莊\章	ts'\ tʃ' \t ɕ' 清 \初 \昌
			kuəŋ 肱古弘					
			kuək 國古或					

dz\dʒ\dʑ 從\崇\禪	s\ʃ\ɕ 心\山\書	z\ʒ\ʑ 邪\俟\船	x 曉	ɣ 匣	ʔ 影	j 喻	l 來	ȵʑ 日	反切下字
			xuəŋ 薨呼弘	ɣuəŋ 弘胡肱					弘 肱
				ɣuək 或胡國					或 國
			xɪuek 洫況逼	ɣɪuek 域榮逼					逼

聲調	韻攝	韻目	類別	開合	等韻	等列	相配 舌	相配 齒	\聲值 韻值\	p 幫	p' 滂	b 並	m 明	t\ȶ 端\知
平聲	梗攝	三九 庚	合韻	開	二	2	ȶ系 泥紐	tʃ系	æŋ	pæŋ 閉甫盲	p'æŋ 磅撫庚	bæŋ 彭薄庚	mæŋ 盲武庚	ȶ æŋ 趟竹盲
					三	3	/	/	ɪæŋ	pɪæŋ 兵甫榮		bɪæŋ 平符兵	mɪæŋ 明武兵	
上聲	梗攝	三七 梗	合韻	開	二	2	t系	山紐	æŋ	pæŋ* 蛃蒲杏			mæŋ 猛莫杏	tæŋ 打德冷
					三	3	知紐	/	ɪæŋ	pɪæŋ 丙兵永			mɪæŋ 皿武永	ȶ ɪæŋ* 盯張梗
去聲	梗攝	四二 敬	合韻	開	二	2	ȶ系 透紐	tʃ系	æŋ	pæŋ 榜補孟		bæŋ 膨蒲孟	mæŋ 孟莫鞕	ȶ æŋ 倀猪孟
					三	3	/	/	ɪæŋ	pɪæŋ 柄彼病		bɪæŋ 病皮敬	mɪæŋ 命眉映	
入聲	梗攝	十九 陌	合韻	開	二	2	ȶ系	tʃ系	æk	pæk 伯博白	p'æk 拍普百	bæk 白傍陌	mæ k 陌莫白	ȶ æ k 磔張格
					三	3	/	/	ɪæk			bɪæk* 欂弼戟		

tʻ\ʈʻ 透\徹	d\ɖ 定\澄	n\ɳ 泥\娘	k 見	kʻ 溪	g 群	ŋ 疑	ts\tʃ\tɕ 精\莊\章	tsʻ\tʃʻ\tɕʻ 清\初\昌
ʈʻæŋ 瞠丑庚	ɖæŋ 棖直庚	ɳæŋ 鬤乃庚	kæŋ 庚古行	kʻæŋ 坑客行				tʃʻæŋ 鎗助庚
			kɪæŋ 驚舉卿	kʻɪæŋ 卿去京	gɪæŋ 擎渠京	ŋɪæŋ 迎語京		
	dæŋ 瑒徒杏		kæŋ 梗古杏					
ʈʻæŋ* 牚他孟	ɖæŋ 鋥宅鞕		kæŋ 更古孟			ŋæŋ 鞕五孟		tʃʻæŋ* 瀙楚敬
			kɪæŋ* 敬居命	kʻɪæŋ 慶綺映	gɪæŋ 競渠敬	ŋɪæŋ* 迎魚敬		
ʈʻæk 坼丑格	ɖæk 宅場百	ɳæk 蹃女白	kæŋ 格古陌	kʻæk 客苦陌		ŋæk 額五陌	tʃæk 嘖側陌	tʃʻæk 栅測戟
			kɪæk 戟几劇	kʻɪæk 隙綺戟	gɪæk 刻奇逆	ŋɪæk 逆宜戟		

dz\dʒ\dʑ 從\崇\禪	s\ʃ\ɕ 心\山\書	z\ʒ\ʑ 邪\俟\船	x 曉	ɣ 匣	ʔ 影	j 喻	l 來	ȵ ʑ 日	反切 下字
dʒæŋ 傖楚庚	ʃæŋ* 生所京		xæŋ 脝許庚	ɣæŋ 行戶庚					行盲 庚(京)
					ʔ ɪæŋ 霙於驚				卿京兵 (榮)驚
	ʃæŋ* 省所景			ɣæŋ 杏何梗	ʔ æŋ 營烏猛		læŋ 冷魯打		杏冷梗 猛打(景)
					ʔ ɪæŋ 影於丙				丙 (永)(梗)
	ʃæŋ 生所更		xæŋ 諱許孟	ɣæŋ 行胡孟					孟鞕 (敬)更
					ʔ ɪæŋ 映於敬				命映 敬病
dʒæk 齚鋤陌	ʃæk 索所戟		xæk 赫呼格	ɣæk 垎胡格	ʔ æk 啞烏陌				陌格百 白(戟)
			ʔ ɪæk 虩許郤						劇戟逆 郤

聲調	韻攝	韻目	類別	開合	等韻	等列	相配 舌	相配 齒	\聲值 韻值\	p 幫	p' 滂	b 並	m 明	t \ ȶ 端\ 知
平聲	梗攝	四一 清	合韻 (重紐)	開	三	3	ȶ 系	tɕ 系	B ɪɛŋ					ȶ ɪɛŋ 貞陟盈
						4		ts 系	A iɛŋ	piɛŋ 并補盈			miɛŋ 名武并	
上聲	梗攝	三九 靜	合韻 (重紐)	開	三	3	ȶ 系	章紐	B ɪɛŋ					
						4		ts 系	A iɛŋ	piɛŋ 餅必郢			miɛŋ 慏弥井	
去聲	梗攝	四四 勁	合韻 (重紐)	開	三	3	ȶ 系	tɕ 系	B ɪɛŋ					
						4		ts 系	A iɛŋ	piɛŋ 摒卑政	p'iɛŋ 聘匹政	biɛŋ 偋防政	miɛŋ 詺武聘	
入聲	梗攝	十七 昔	合韻 (重紐)	開	三	3	ȶ 系	tɕ 系	B ɪɛk	pɪɛk * 碧方彳				ȶ ɪɛk 𥕫竹益
						4		ts 系	A iɛk	piɛk 辟必益	p'iɛk 僻芳辟	biɛk 擗房益		

t'\ʈ' 透\徹	d\ɖ 定\澄	n\ɳ 泥\娘	k 見	k' 溪	g 群	ŋ 疑	ts\tʃ\tɕ 精\莊\章	ts'\tʃ'\tɕ' 清\初\昌
ʈ'ɪɛŋ 檉勅貞	ɖɪɛŋ 呈直貞						tɕɪɛŋ 征諸盈	
				k'iɛŋ 輕去盈	giɛŋ 頸巨成		tsɪɛŋ 精子情	ts'ɪɛŋ 清七精
ʈ'ɪɛŋ 逞丑郢	ɖɪɛŋ 徎丈井						tɕɪɛŋ 整之郢	
			kiɛŋ 頸居郢		giɛŋ 痙其郢		tsɪɛŋ 井子郢	ts'ɪɛŋ 請七靜
ʈ'ɪɛŋ 遉丑鄭	ɖɪɛŋ 鄭直政						tɕɪɛŋ 政之盛	
			kiɛŋ 勁居盛				tsɪɛŋ 精子性	ts'ɪɛŋ 倩七政
ʈ'ɪɛk 彳丑亦	ɖɪɛk 擲直炙						tɕɪɛk 隻之石	tɕ'ɪɛk 尺昌石
							tsɪɛk 積資昔	ts'ɪɛk 皵七跡

dz\dʒ\dʑ 從\崇\禪	s\ʃ\ɕ 心\山\書	z\ʒ\ʑ 邪\俟\船	x 曉	ɣ 匣	ʔ 影	j 喻	l 來	ȵʑ 日	反切 下字
dʑɪɛŋ 成市征	ɕɪɛŋ 聲書盈						lɪɛŋ 跉呂貞		盈 貞 成(營) 并 征 情 精
dzɪɛŋ 情疾盈	sɪɛŋ * 騂息營	zɪɛŋ 餳徐盈			ʔiɛŋ 嬰於盈	jɪɛŋ 盈以成			
							lɪɛŋ 領李郢		郢 井 靜 整
dzɪɛŋ 靜疾郢	sɪɛŋ 省息井				ʔiɛŋ 癭於郢	jɪɛŋ 郢以整			
dʑɪɛŋ 盛承政	ɕɪɛŋ 聖識正						lɪɛŋ 令力正		盛 鄭政 聘 正 性
dzɪɛŋ 淨疾政	sɪɛŋ 性息正								
dʑɪɛk 石常尺	ɕɪɛk 釋施隻	ʑɪɛk 麝食亦							益 亦 炙辟跡 石隻彳 昔積尺
	sɪɛk 昔私積	zɪɛk 席詳亦			ʔiɛk 益伊昔	jɪɛk 繹羊益			

聲調	韻攝	韻目	類別	開合	等韻	等列	相配 舌	相配 齒	聲值\韻值	p 幫	pʻ 滂	b 並	m 明	t\ȶ 端\知
平聲	梗攝	三九 庚	合韻	合	二	2	/	/	uæŋ					
					三	3	/	/	ɪuæŋ					
		四一 清	合韻	合	三	4	/	/	B-ɪuɛŋ A-iuɛŋ					
上聲	梗攝	三七 梗	合韻	合	二	2	/	/	uæŋ					
					三	3	/	/	ɪuæŋ					
		三九 靜	合韻	合	三	4	/	/	B-ɪuɛŋ A-iuɛŋ					
去聲	梗攝	四二 敬	合韻	合	二	2	/	/	uæŋ					
					三	3	/	/	ɪuæŋ					
		四四 勁	合韻	合	三	4	/	/	B-ɪuɛŋ A-iuɛŋ					
入聲	梗攝	十九 陌	合韻	合	二	2	/	/	uæk					
					三	3	/	/	ɪuæk					
		十七 昔	合韻	合	三	4	/	/	B-ɪuɛk A-iuɛk					

t‘ \ ʈ‘ 透 \ 徹	d \ ɖ 定 \ 澄	n \ ɳ 泥 \ 娘	k 見	k‘ 溪	g 群	ŋ 疑	ts\ tʃ\tɕ 精\莊\章	ts‘\ tʃ‘ \tɕ‘ 清 \初 \昌
			kuæŋ 觥古橫					
				k‘iuɛŋ 傾去營	giuɛŋ 瓊渠營			
			kuæŋ 礦古猛					
			kɪuæŋ 憬舉永					
				k‘iuɛŋ 頃去穎				
			kuæk 虢古陌					

dz\dʒ\dʑ 從\崇\禪	s\ʃ\ɕ 心\山\書	z\ʒ\ʑ 邪\俟\船	x 曉	ɣ 匣	ʔ 影	j 喻	l 來	ȵ ʑ 日	反切下字
			xuæŋ 諻虎橫	ɣuæŋ 橫胡盲					橫 (盲)
			xɪuæŋ 兄許榮	ɣɪuæŋ 榮永兵					榮 (兵)
					ʔiuɛŋ 縈於營	jɪuɛŋ 營余傾			營 傾
									(猛)
				ɣɪuæŋ 永榮㬋					永(㬋)
						jɪuɛŋ 穎餘頃			穎 頃
				ɣuæŋ 蝗胡孟					(孟)
				ɣɪuæŋ 詠爲柄					(柄)
			xiuɛŋ* 敻虛政						(政)
			xuæk 謋虎伯	ɣuæk 嚄胡伯	ʔuæk 擭一虢				(伯) 虢(陌)
				ɣɪuæk* 嚝于陌	ʔɪuæk 韄乙百*				(百) (陌)
			xiuɛk 瞁設役			jɪuɛk* 役營隻			役 (隻)

聲調	韻攝	韻目	類別	開合	等韻	等列	相配 舌	齒	聲值\韻值	p 幫	p' 滂	b 並	m 明	t \ ȶ 端 \ 知
平	梗	四十 耕	合韻	開	二	2	ȶ 系	tʃ 系	ɐŋ	pɐŋ 繃甫萌	p'ɐŋ 怦普耕	bɐŋ 輣扶萌	mɐŋ 甍莫耕	ȶɐŋ 朾中莖
聲	攝	四二 青	合韻	開	四	4	t 系	ts 系	eŋ		p'eŋ 竮普丁	beŋ 瓶薄經	meŋ 冥莫經	teŋ 丁當經
上	梗	三八 耿	合韻	開	二	2	/	/	ɐŋ		p'ɐŋ 皏普幸	bɐŋ 竝蒲幸	mɐŋ 䁅武幸	
聲	攝	四十 迥	合韻	開	四	4	t 系	ts 系	eŋ	peŋ 鞞補鼎	p'eŋ 頩匹迥	beŋ 竝蒲迥	meŋ 茗莫迥	teŋ 頂丁挺
去	梗	四三 諍	合韻	開	二	2	/	莊紐	ɐŋ	pɐŋ 迸北諍		bɐŋ 竝蒲迸		
聲	攝	四五 徑	合韻	開	四	4	t 系	ts 系	eŋ				meŋ [illegible]莫定	teŋ 矴丁定
入	梗	十八 麥	合韻	開	二	2	知紐	tʃ 系	ɐk	pɐk 檗博厄	p'ɐk [illegible]普麥	bɐk 繴蒲革	mɐk 麥莫獲	ȶɐk 擿陟革
聲	攝	十六 錫	合韻	開	四	4	t 系	ts 系	ek		p'ek 霹普激	bek 甓扶歷	mek 覓莫歷	tek 的都歷

t'\ṭ' 透\徹	d\ḍ 定\澄	n\ṇ 泥\娘	k 見	k' 溪	g 群	ŋ 疑	ts\tʃ\tç 精\莊\章	ts'\tʃ'\tç' 清\初\昌
	ḍɐŋ 橙直耕	ṇɐŋ 儜女耕	kɐŋ 耕古莖	k'ɐŋ 鏗古莖		ŋɐŋ 娙五莖	tʃɐŋ 爭側莖	tʃ'ɐŋ 琤楚莖
t'eŋ 汀他丁	deŋ 庭特丁	neŋ 寧奴丁	keŋ 經古靈					ts'eŋ 青倉經
			kɐŋ 耿古幸					
t'eŋ 珽他鼎	deŋ 挺徒鼎		keŋ 剄古挺	k'eŋ 謦去挺		ŋeŋ 脛五冷		
							tʃɐŋ 諍側迸	
t'eŋ 聽他定	deŋ 定特徑	neŋ 寗乃定	keŋ 徑古定	k'eŋ 磬苦定				ts'eŋ 靘千定
		ṇɐk [illegible]女厄	kɐk 隔古核	k'ɐk 礊口革			tʃɐk 責側革	tʃ'ɐk 策側革
t'ek 逖他歷	dek 荻徒歷	nek 惄奴歷	kek 激古歷	k'ek 燩去激		ŋek 鷁五歷	tsek 績則歷	ts'ek 戚倉歷

dz\dʒ\d ʑ 從\崇\禪	s\ ʃ\ ɕ 心\山\書	z\ʒ\ ʑ 邪\俟\船	x 曉	ɣ 匣	ʔ 影	j 喻	l 來	ȵ ʑ 日	反切 下字
dʒ ɐ ŋ 崢仕耕				ɣ ɐ ŋ 莖戶耕	ʔ ɐ ŋ 甖烏莖				莖 耕 萌
	seŋ 星桑經		xeŋ 馨呼形	ɣeŋ 形戶經	ʔ eŋ 鯖於形		leŋ 靈郎丁		靈 經 丁 形
				ɣ ɐ ŋ 幸胡耿					幸 耿
dzeŋ 汫徂醒	seŋ 醒蘇挺			ɣeŋ 婞下娗			leŋ 笭力鼎		挺鼎醒 冷娗(迥)
					ʔ ɐ ŋ* 櫻一諍				諍 迸
	seŋ 腥息定			ɣeŋ 脛戶定	ʔ eŋ 鎣烏定		leŋ 零力徑		定 徑
dʒ ɐ k 賾士革	ʃ ɐ k 棟所責			ɣ ɐ k 覈下革	ʔ ɐ k 戹烏革				核革戹 責(麥,獲)
dzek 寂昨歷	sek 錫先擊		xek 赥許狄	ɣek 檄胡狄			lek 靂閭激		歷 激 擊 狄

聲調	韻攝	韻目	類別	開合	等韻	等列	相配 舌	齒	\聲值 韻值\	p 幫	p' 滂	b 並	m 明	t \ ȶ 端 \ 知
平聲	梗攝													
		四十耕	合韻	合	二	2	/	/	uɐŋ					
		四二青	合韻	合	四	4	/	/	ueŋ					
上聲	梗攝													
		三八耿	合韻	合	二	2								
		四十迥	合韻	合	四	4	t 系	ts 系	ueŋ					
去聲	梗攝													
		四三諍	合韻	合	二	2	/	/	uɐŋ					
		四五徑	合韻	合	四	4	/	/	ueŋ					
入聲	梗攝													
		十八麥	合韻	合	二	2	/	/	uɐk					
		十六錫	合韻	合	四	4	/	/	uek					

t' \ ṭ' 透\ 徹	d\ ḍ 定\ 澄	n \ ṇ 泥\娘	k 見	k' 溪	g 群	ŋ 疑	ts\ tʃ\tɕ 精\莊\章	ts'\ tʃ' \tɕ' 清 \初 \昌
			kueŋ 扃古螢					
			kueŋ * 泂古鼎	k'ueŋ 褧口迥				
			kuɐk 蟈古獲					
			kuek 郹古闃	k'uek 闃苦鶪				

dz\dʒ\dʐ 從\崇\禪	s\ʃ\ɕ 心\山\書	z\ \ʑ 邪\俟\船	x 曉	ɣ 匣	ʔ 影	j 喻	l 來	ȵ ʑ 日	反切下字
			xuɐŋ 轟呼宏	ɣuɐŋ 宏戶氓					宏 氓
				ɣueŋ* 熒胡丁					螢 (丁)
				ɣueŋ* 迥戶鼎	ʔueŋ 濙烏迥				(鼎) 迥
			xuɐŋ 轟呼迸						(迸)
				ɣueŋ* 熒胡定					(定)
			xuɐk 騞呼麥	ɣuɐk 獲胡麥					獲 麥
									鶪 闃

聲調	韻攝	韻目	類別	開合	等韻	等列	相配 舌	相配 齒	聲值\韻值\	p 幫	p‘ 滂	b 並	m 明	t\ȶ 端\知
平聲	流攝	四四 侯	獨韻	開	一	1	t 娘系紐	ts 系	əu					təu 兜當侯
		四五 幽	獨韻	開	三	2	/	山紐						
									ɪeu					
						4	/	精紐		pɪeu 彪甫休		bɪeu 滮扶彪	mɪeu 繆武彪	
上聲	流攝	四二 厚	獨韻	開	一	1	t 系	ts 系	əu	pəu 捊方垢	p‘əu 剖普厚	bəu 部蒲口	məu 母莫口	təu 斗當口
						2	/	崇紐						
		四三 黝	獨韻	開	三	4	/	精紐	ɪeu					
去聲	流攝	四七 候	獨韻	開	一	1	t 系	ts 系	əu		p‘əu 仆匹豆	bəu 踣蒲候	məu 茂莫候	təu 鬭丁豆
		四八 幼	獨韻	開	三	4	/	/	ɪeu				mɪeu 謬靡幼	

t'\ȶ' 透\徹	d\ȡ 定\澄	n\ȵ 泥\娘	k 見	k' 溪	g 群	ŋ 疑	ts\tʃ\tɕ 精\莊\章	ts'\tʃ'\tɕ' 清\初\昌
t'əu 偷託侯	dəu 頭度侯	ȵəu 羺女溝*	kəu 鉤古侯	k'əu 彄恪侯		ŋəu 齵五侯	tsəu 緅子侯	
			kɪeu 樛居虯	k'ɪeu* 惆去愁	gɪeu 虯渠幽	ŋɪeu 聱語虯	tsɪeu 稵子幽	
t'əu 黈他后	dəu 蕍徒口	ȵəu 穀乃口	kəu 苟古厚	k'əu 口苦厚		ŋəu 藕五口	tsəu 走子厚	ts'əu 取倉垢
			kɪeu 糾居黝		gɪeu 蟉渠糾		tsɪeu 愀兹糾*	
t'əu 透他候	dəu 豆徒候	nəu 耨奴豆*	kəu 遘古候	k'əu 寇苦候		ŋəu 偶五遘	tsəu 奏側候	ts'əu 輳倉候
				k'ɪeu 䠷丘幼	gɪeu 趴渠幼			

dz\dʒ\dʑ 從\崇\禪	s\ʃ\ɕ 心\山\書	z\ʒ\ʑ 邪\俟\船	x 曉	ɣ 匣	ʔ 影	j 喻	l 來	ɳ ʑ 日	反切 下字
dzəu 剽徂鉤*	səu 涑速侯		xəu 齁呼侯	ɣəu 侯胡溝	ʔəu 謳烏侯		ləu 樓落侯		侯溝 鉤
	ʃɪeu 犙山幽								幽虯 休彪 虯 (愁)
			xɪeu 飍香幽		ʔɪeu 幽於虯		lɪeu 鏐力幽		
	səu 藪蘇后		xəu 吼呼后	ɣəu 厚胡口	ʔəu 歐烏口		ləu 塿盧斗		厚 口垢 后斗
dʒəu 鯫士垢									
					ʔɪeu 黝於糾				黝 糾
dzəu 剽昨候	səu 瘶蘇豆		xəu 蔻呼候	ɣəu 候胡遘	ʔəu 漚於候		ləu 陋盧候		候遘 豆
					ʔɪeu 幼伊謬				幼 謬

聲調	韻攝	韻目	類別	開合	等韻	等列	相配 舌	相配 齒	聲值\韻值	p 幫	p' 滂	b 並	m 明	t\ʈ 端\知
平聲	流攝	四三 尤	獨韻	開	三	2		tʃ系						
						3	ʈ系	tɕ系	ɪəu	pɪəu 不甫鳩	p'ɪəu 颫匹尤	bɪəu 浮薄謀	mɪəu 謀莫浮	ʈ ɪəu 輈張流
						4		ts系						
上聲	流攝	四一 有	獨韻	開	三	2		tʃ系						
						3	ʈ系	tɕ系	ɪəu	pɪəu 缶方久	p'ɪəu 恒芳酒	bɪəu 婦房久		ʈ ɪəu 肘陟柳
						4		ts系						
去聲	流攝	四六 宥	獨韻	開	三	2		tʃ系						
						3	ʈ系	tɕ系	ɪəu	pɪəu 富府副	p'ɪəu 副敷救	bɪəu 復扶富		ʈ ɪəu 晝陟救
						4		ts系						

ʈ'\ʈ' 透\徹	d\ɖ 定\澄	n\ȵ 泥\娘	k 見	k' 溪	g 群	ŋ 疑	ts\tʃ\tɕ 精\莊\章	ts'\tʃ'\tɕ' 清\初\昌
							tʃɪəu 鄒側鳩	tʃ'ɪəu 搊楚尤
ʈ'ɪəu 抽勑鳩	ɖɪəu 儔直由		kɪəu 鳩居求	k'ɪəu 丘去求	gɪəu 裘巨鳩	ŋɪəu 牛語求	tɕɪəu 周職鳩	tɕ'ɪəu 犨赤周
							tsɪəu 遒即由	ts'ɪəu 秋七遊
							tʃɪəu 掫側久	
ʈ'ɪəu 丑勑久	ɖɪəu 紂直柳	ȵɪəu 紐女久	kɪəu 久舉有	k'ɪəu 糗去久	gɪəu 舅巨久		tɕɪəu 帚之久	tɕ'ɪəu 醜處久
							tsɪəu 酒子酉	
							tʃɪəu 皺側救	tʃ'ɪəu 簉初救
ʈ'ɪəu 畜王救	ɖɪəu 冑直右	ȵɪəu 糅女救	kɪəu 救久祐		gɪəu 舊巨救	ŋɪəu 鼿牛救	tɕɪəu 呪職救	tɕ'ɪəu 臭尺救
							tsɪəu 僦即救	

dz\dʒ\dʑ 從\崇\禪	s\ʃ\ɕ 心\山\書	z\ \ʑ 邪\俟\船	x 曉	ɣ 匣	ʔ 影	j 喻	l 來	ȵʑ 日	反切下字
dʒɪəu 愁士求	ʃɪəu 搜所鳩								求鳩
dʑɪəu 讎市流	ɕɪəu 收式周		xɪəu 休許尤	ɣɪəu 尤羽求	ʔɪəu 憂於求		lɪəu 劉力求	ȵʑɪəu 柔耳由	流由尤謀
dzɪəu 酋字秋	sɪəu 脩息流	zɪəu 囚似由				jɪəu 猷以周			浮周遊秋
	ʃɪəu 溲踈有								有
dʑɪəu 受植酉	ɕɪəu 首書久		xɪəu 朽許久	ɣɪəu 有云久	ʔɪəu [illegible]於柳		lɪəu 柳力久	ȵʑɪəu 蹂人久	久柳
dzɪəu 湫在久	sɪəu 滫息有					jɪəu 酉与久			酒酉
dʒɪəu 驟鋤祐	ʃɪəu 瘦所救								祐
dʑɪəu 授承秀	ɕɪəu 狩舒救		xɪəu 齅許救	ɣɪəu 宥尤救			lɪəu 溜力救	ȵʑɪəu 輮人又	救右副富
dzɪəu 就疾僦	sɪəu 秀息救	zɪəu 岫似祐				jɪəu 狖余救			秀僦又

聲調	韻攝	韻目	類別	開合	等韻	等列	相配 舌	相配 齒	\聲值 韻值\	p 幫	p' 滂	b 並	m 明	t\ʈ 端\知
平聲	深攝													
		四六 侵	獨韻(重紐)	開	三	2		tʃ系						
						3	ʈ系	tɕ系	B ɪem					ʈɪem 碪知林
						4		ts系	A iem					
上聲	深攝													
		四四 寑	獨韻(重紐)	開	三	2		tʃ系						
						3	ʈ系	tɕ系	B ɪem	pɪem 稟筆錦	p'ɪem 品披飲			ʈɪem [illegible]竹甚
						4		ts系	A iem					
去聲	深攝													
		四九 沁	獨韻(重紐)	開	三	2		tʃ系						
						3	ʈ泥紐	tɕ系	B ɪem					ʈɪem 揕陟鴆
						4		ts系	/ /					
入聲	深攝													
		二六 緝	獨韻(重紐)	開	三	2		tʃ系						
						3	ʈ泥紐	tɕ系	B ɪep			bɪep 鵖房及		ʈɪep 縶陟立
						4		ts系	A iep					

tʻ \ ʈʻ 透 \ 徹	d \ ɖ 定 \ 澄	n \ ȵ 泥 \ 娘	k 見	kʻ 溪	g 群	ŋ 疑	ts\ tʃ\t ɕ 精\莊\章	tsʻ\tʃʻ\t ɕʻ 清 \初 \昌
							tʃɪem 簪側岑	tʃʻɪem 參楚岑
ʈʻɪem 琛王林	ɖɪem 沉除深	ȵɪem 䛘女心	kɪem 金居音	kʻɪem 欽去音	gɪem 琴渠金	ŋɪem 吟魚今	t ɕ ɪem 斟職深	t ɕ ʻɪem [illegible]充針
							tsɪem 祲姊心	tsʻɪem 侵七林
								tʃʻɪem 墋初朕
ʈʻɪem 踸褚甚	ɖɪem 朕直稔	ȵɪem 拰尼甚	kɪem 錦居飲	kʻɪem 坅丘甚	gɪem 噤渠飲	ŋɪem 僸牛錦	t ɕ ɪem 枕之稔	t ɕ ʻɪem 瀋尺甚
						ŋiem 顩牛㾯	tsɪem [illegible]子朕	tsʻɪem 寑七稔
							tʃɪem 譖側讖	tʃʻɪem 讖楚譖
ʈʻɪem 闖丑禁	ɖɪem 鴆直任	ȵɪem 賃乃禁	kɪem 禁居蔭		gɪem 舲巨禁	ŋɪem 吟宜禁	t ɕ ɪem 枕職鴆	
							tsɪem 祲作鴆	tsʻɪem 沁七鴆
							tʃɪek 戢阻立	
ʈʻɪep 湁丑入	ɖɪep 蟄直立	ȵɪep 囜女縶	kɪep 急居立	kʻɪep 泣去急	gɪep 及其立	ŋɪep 岌魚及	t ɕ ɪem 執之入	
							tsɪep 㗱姊入	tsʻɪep 緝七入

dz\dʒ\dʑ 從\崇\禪	s\ʃ\ɕ 心\山\書	z\ʒ\ʑ 邪\俟\船	x 曉	ɣ 匣	ʔ 影	j 喻	l 來	ȵʑ 日	反切下字
dʒɪem 岑鋤簪	ʃɪem 森所金								音金今林深心岑簪針淫吟尋
dʑɪem 諶氏林	ɕɪem 深式針		xɪem 歆許金		ʔɪem 音於吟		lɪem 林力尋	ȵʑɪem 任如林	
dzɪem 鮗昨淫	sɪem 心息林	zɪem 尋徐林			ʔiem 愔於吟	jɪem 淫餘針			
	ʃɪem* 痒踈錦								飲甚錦稔枕朕瘮
dʑɪem 甚植枕	ɕɪem 沈式稔	ʑɪem 椹食稔	xɪem 廞虛錦		ʔɪem 飲於錦		lɪem 廩力稔	ȵʑɪem 荏如甚	
dzɪem 蕈慈錦	sɪem 罧斯甚								
	ʃɪem 滲所禁								蔭禁鴆任讖譖浸
dʑɪem 甚時鴆					ʔɪem 蔭於禁		lɪem 臨力浸	ȵʑɪem 妊汝鴆	
	ʃɪep 澀色立								立急及入縶執
dʑɪep 十是執	ɕɪep 溼矢入	ʑɪep 褶神執	xɪep 吸許及	ɣɪep 熠爲立	ʔɪep 邑英及		lɪep 立急力	ȵʑɪep 入尒執	
dzɪep 集秦入	sɪep 𩎖先入	zɪep 習似入			ʔiem 揖伊入				

聲調	韻攝	韻目	類別	開合	等韻	等列	相配 舌	齒	聲值\韻值	p 幫	p' 滂	b 並	m 明	t \ ȶ 端 \ 知
平聲	咸攝	三五 覃	獨韻	開	一	1	t 系	ts 系	Am					tAm 躭丁含
		五一 咸	獨韻	開	二	2	ȶ 系	tʃ 系	ɐm					ȶɐm 詀竹咸
		四八 添	獨韻	開	四	4	t 系	/	em					tem * ⿱髟占丁兼
上聲	咸攝	三三 感	獨韻	開	一	1	t 系	ts 系	Am					tAm 黕都感
		四九 豏	獨韻	開	二	2	ȶ 系	tʃ 系	ɐm					
		四六 忝	獨韻	開	四	4	t 系	/	em				mem [illegible]明忝	tem 點多忝
去聲	咸攝	三八 勘	獨韻	開	一	1	t 系	ts 系	Am					tAm* 馾丁紺
		五四 陷	獨韻	開	二	2	ȶ 系 端紐	tʃ 系	ɐm					t ɐm ⿰鹵占都陷
		四六 㮇	獨韻	開	四	4	t 系	ts 系	em					tem 店都念
入聲	咸攝	二十 合	獨韻	開	一	1	t 系	ts 系	Ap					tAp 荅都合
		二三 洽	獨韻	開	二	2	ȶ 系	tʃ 系	ɐp					ȶɐp 劄竹洽
		二五 怗	獨韻	開	四	4	t 系	ts 系	ep					tep 聑丁篋

t' \ ʈ' 透 \ 徹	d \ ɖ 定 \ 澄	n \ ɳ 泥 \ 娘	k 見	k' 溪	g 群	ŋ 疑	ts\ tʃ\tɕ 精\莊\章	ts'\ tʃ' \tɕ' 清 \初 \昌
t'Am 貪他含	dAm 覃徒含	nAm 南那含	kAm 弇古南	k'Am 龕口含		ŋAm 儑五含	tsAm 簪作含	ts'Am 參倉含
		ɳ ɐm 諵女咸	k ɐm 緘古咸	k' ɐm 鵮苦咸		ŋ ɐm 嵒五咸		
tem 添他兼	dem 甜徒兼	nem 鮎奴兼	kem 兼古恬	k'em* 謙苦兼				
t'Am 襑他感	dAm 禫徒感	nAm 腩奴感	kAm 感古禫	k'Am 坎苦感		ŋAm 顉五感	tsAm 昝子感	ts'Am 慘七感
ʈ' ɐm 偺丑減	d ɐm 湛徒減	ɳ ɐm 㘝女減	k ɐm 鰜古斬	k' ɐm 屎苦減			tʃ ɐm 斬阻減	tʃ' ɐm 膱初減
t'em 忝他玷	dem 簟徒玷	nem 淰乃簟	kem 孂居點	k'em* 縑苦簟				
t'Am 僋他紺	dAm 醰徒紺	nAm 妠奴紺	kAm 紺古暗	k'Am 勘苦紺		ŋAm 儑五紺	tsAm 撍祖紺	ts'Am 謲七紺
	ɖ ɐm 賺佇陷	ɳ ɐm 諵儜賺	k ɐm 鮨公陷	k' ɐm 歉口陷			tʃ ɐm 蘸滓陷	
t'em 㮇他念	dem 磹徒念	nem 念奴念	kem 趝紀念	k'em 傔苦僭			tsem 僭子念	
	dAp 沓徒合	nAp 納奴荅	kAp 閤古沓	k'Ap 溘口荅		Ap 𡅅五合	tsAp 帀子荅	ts'Ap 𧽍七合
		ɳ ɐp 囯女洽	k ɐp 夾古洽	k' ɐp 恰苦洽			tʃ ɐp 眨阻洽	tʃ' ɐp 插楚洽
t'ep 怗他協	dep 牒徒協	nep 錜乃協	kep 頰古協	k'ep 愜苦協			tsep 浹子協	

dz\dʒ\d ʑ 從\崇\禪	s\ ʃ\ ɕ 心\山\書	z\ ʒ \ ʑ 邪\俟\船	x 曉	ɣ 匣	ʔ 影	j 喻	l 來	ȵ ʑ 日	反切 下字
dzAm 蠶昨含	sAm 毿蘇含		xAm 峆火含	ɣAm 含胡南	ʔ Am 諳烏含		lAm 婪盧含		南 含
dʒ ɐ m 讒士咸	ʃ ɐ m 攕所咸		x ɐ m 㰹許咸	ɣ ɐ m 咸胡讒	ʔ ɐ m ⿰犭音乙咸				咸 讒
			xem 馦許兼	ɣem 嫌戶兼			lem* 鬑勒兼		恬 兼
dzAm 歜徂感	sAm 糂素感		xAm 顑呼感	ɣAm 頷胡感	ʔ Am 晻烏感		lAm 壈盧感		禫 感
dʒ ɐ m 瀺士減	ʃ ɐ m 摻所斬		x ɐ m 闞火斬	ɣ ɐ m 豏下斬			l ɐ m 臉力減		斬 減
				ɣem 鼸下忝			lem 稴盧忝		點簟 忝玷
	sAm 俕蘇紺		xAm 顑呼紺		ʔ Am 暗烏紺		lAm 儖郎紺		暗 紺
dʒ ɐ m 讒士陷			x ɐ m 闞火陷	ɣ ɐ m 陷戶韽	ʔ ɐ m 韽於陷				陷賺 韽
dzem ⿰目替漸念	sem ⿰石戠先念				ʔ em* 酓於念		lem 稴力店		念僭 店
dzAp 雜組合	sAp 趿蘇合		xAp 欱呼合	ɣAp 合胡閤	ʔ Ap 姶烏合		lAp 拉盧合		沓荅 合閤
dʒ ɐ p 箑士洽	ʃ ɐ p 霎山洽		x ɐ p ⿰身合呼洽	ɣ ɐ p 洽侯夾	ʔ ɐ p ⿰足奄烏洽		l ɐ p		洽 夾
			xem 弽呼協	ɣem 協胡頰	ʔ ep 擪於協		lem 甄盧協		協篋 頰

聲調	韻攝	韻目	類別	開合	等韻	等列	相配 舌	相配 齒	\聲值 韻值\	p 幫	p' 滂	b 並	m 明	t \ ţ 端 \ 知
平聲	咸攝	三六 談	獨韻	開	一	1	t 系	ts 系	am				mam 姏武酣	tam 擔都甘
		五二 銜	獨韻	開	二	2	/	tʃ 系	am					
		五三 嚴	分韻	開	三	3	/	/	ɪɐm					
上聲	咸攝	三四 敢	獨韻	開	一	1	t 系	ts 系	am				mam [illegible]謨敢	tam 膽都敢
		五十 檻	獨韻	開	二	2	/	tʃ 系	am					
		五一 广	分韻	開	三	3	/	/	ɪɐm					
去聲	咸攝	三九 闞	獨韻	開	一	1	t 系	從紐	am					tam 擔都濫
		五五 鑒	獨韻	開	二	2	/	tʃ 系	am			bam 埿蒲鑑		
		五六 嚴	分韻	開	三	3	/	/	ɪɐm					
入聲	咸攝	二一 盍	獨韻	開	一	1	t 系	ts 系	ap					tap 皶都盍
		二三 狎	獨韻	開	二	2	/	tʃ 系	ap					
		三一 業	分韻	開	三	3	/	/	ɪɐp					

t'\ȶ' 透\徹	d\ȡ 定\澄	n\ȵ 泥\娘	k 見	k' 溪	g 群	ŋ 疑	ts\tʃ\tɕ 精\莊\章	ts'\tʃ'\tɕ' 清\初\昌
	dam 談徒甘		kam 甘古三	k'am 坩苦甘			tsam 暫作三	ts'am 笘倉甘
			kam 監古銜			ŋam 巖五銜		tʃ'am 攙楚銜
				k'ɪɐm 欦丘嚴		ŋɪɐm 嚴語驗		
t'am 菼吐敢	dam 噉徒敢		kam 敢古覽				tsam [illegible]子敢	ts'am 黲倉敢
				k'am 顩丘檻				tʃ'am 醶初檻
				k'ɪɐm 欦丘广		ŋɪɐm 广虞埯		
t'am * 賧吐濫	dam 憺徒濫		kam [illegible]公蹔	k'am 闞苦濫				
			kam 鑑格懺				tʃam [illegible]子鑑	tʃ'am 懺楚鑑
			kɪɐm 劍舉欠	k'ɪɐm 欠去劍		ŋɪɐm 釅魚淹		
t'ap 榻吐盍	dap 蹋徒盍	納奴盍	kap [illegible]古盍	k'ap* 榼苦盍		ŋap 偞五盍		ts'ap 囃倉臘
	ȡap 渫丈甲		kap* 甲古狎					tʃ'ap 臿初甲
			kɪɐp 劫居怯	k'ɪɐp 怯去劫		ŋɪɐp 業魚怯		

dz\dʒ\d ʑ 從\崇\禪	s\ ʃ\ ɕ 心\山\書	z\ʒ\ ʑ 邪\俟\船	x 曉	ɣ 匣	ʔ 影	j 喻	l 來	ȵ ʑ 日	反切 下字
dzɑm 慙昨甘	sɑm 三蘇甘		xɑm 蚶火談	ɣɑm 酣胡甘			lɑm 藍盧甘		三甘 酣談
dʒam 巉鋤銜	ʃam 衫所銜			ɣam 銜戶監					銜 監
			xɪɐm 顩虛嚴		ʔɪɐm 醃於嚴				嚴 顩
dzɑm 槧才敢					ʔ ɪɑm 埯安敢		lɑm 覽盧敢		覽 敢
dʒam 巉士檻	ʃam 摲山檻		xam 㺝荒檻	ɣam 檻胡黤	ʔ ɪam 黤於檻				檻 黤
			xɪɐm 險希埯		ʔɪɐm 埯於广				广 埯
dzɑm 暫慙濫			xɑm 𧴤呼濫	ɣɑm 憨下瞰			lɑm 濫盧瞰		暫 濫瞰
dʒam 鑱士懺	ʃam 釤所鑑		xam 㺝許鑑	ɣam 覽胡懺					懺 鑑
					ʔɪɐm 俺於劍				欠劍 淹
dzɑp [illegible]才盍	sɑp [illegible]私盍		xɑp 欱呼盍	ɣɑp 盍胡臘	ʔ ɑp 鰪安盍		臘盧盍		盍 臘
dʒap 渫士甲	ʃap 翣所甲		xap 呷呼甲	ɣap 狎胡甲	ʔ ɪap 鴨烏狎				狎 甲
			xɪɐp 脅虛業		ʔɪɐp 腌於業				怯 劫業

聲調	韻攝	韻目	類別	開合	等韻	等列	相配舌	相配齒	聲值\韻值	p 幫	p' 滂	b 並	m 明	t\ȶ 端\知
平聲	咸攝	五四凡	分韻	合	三	3	/	/	ɪuam		p'ɪam 芝匹凡	bɪam 凡扶芝		
平聲	咸攝	五二范	分韻	合	三	3	/	/	ɪuam			bɪam 范符山	mɪam [illegible]明范	
平聲	咸攝	五七梵	分韻	合	三	3	/	/	ɪuam		p'ɪam 泛敷梵	bɪam 梵扶泛	mɪam 𦬠妄泛	
平聲	咸攝	三二乏	分韻	合	三	3	/	/	ɪuap	pɪap 法方乏		bɪap 乏房法		

t' \ ʈ'	d \ ɖ	n \ ɳ	k	k'	g	ŋ	ts\ tʃ\tɕ	ts'\ tʃ' \tɕ'
透 \ 徹	定 \ 澄	泥 \ 娘	見	溪	群	疑	精\莊\章	清 \初 \昌

dz\dʒ\dʑ 從\崇\禪	s\ʃ\ɕ 心\山\書	z\ʒ\ʑ 邪\俟\船	x 曉	ɣ 匣	ʔ 影	j 喻	l 來	ȵʑ 日	反切 下字
									凡 芝
									凵 范
									梵 泛
									乏 法

聲調	韻攝	韻目	類別	開合	等韻	等列	相配 舌	齒	聲值\韻值	p 幫	pʻ 滂	b 並	m 明	t \ ȶ 端 \ 知
平聲	咸攝	四七 鹽	獨韻(重紐)	開	三	3	ȶ系	tɕ系	B ɪɛm	pɪɛm 砭付廉				ȶ ɪɛm 霑張廉
						4		ts系	A iɛm					
上聲	咸攝	四五 琰	獨韻(重紐)	開	三	3	徹紐	書紐	B ɪɛm	pɪɛm 貶方冉				
						4	徹紐	ts系	A iɛm					
去聲	咸攝	五十 豔	獨韻(重紐)	開	三	3	徹	tɕ系	B ɪɛm	pɪɛm 窆方驗				
						4	紐	ts系	A iɛm					
入聲	咸攝	四七 葉	獨韻(重紐)	開	三	3	ȶ系	山紐	B ɪɛp					ȶ ɪɛp 輒陟涉
						4		ts系	A iɛp					

t' \ ȶ' 透 \ 徹	d \ ȡ 定 \ 澄	n \ ȵ 泥 \ 娘	k 見	k' 溪	g 群	ŋ 疑	ts\ tʃ\t ɕ 精\莊\章	ts'\ tʃ' \t ɕ ' 清 \初 \昌
ȶ 'ɪɛm 覘丑廉		ȵ ɪɛm 黏女廉	kɪɛm 箝巨淹	k'ɪɛm 忺丘廉		ŋɪɛm 𪘙語廉	t ɕ ɪɛm 詹職廉	t ɕ 'ɪɛm 韂處詹
							tsɪɛm 尖子廉	ts'ɪɛm 籤七廉
ȶ 'ɪɛm 諂丑琰			kɪɛm 撿居儼	k'ɪɛm* 顩丘檢	gɪɛm 儉巨險	ŋɪɛm 儼魚檢		
				k'iɛm 脥苦斂			tsɪɛm [illegible]子冉	ts'ɪɛm 憸七漸
ȶ 'ɪɛm 覘丑厭						ŋɪɛm 驗語窆	t ɕ ɪɛm 占將豔	t ɕ 'ɪɛm 韂充豔
							tsɪɛm [illegible]子豔	ts'ɪɛm 壍七贍
ȶ 'ɪɛp 銛丑輒	ȡ ɪɛp 牒直輒	ȵ ɪɛp 敜尼輒	kɪɛp [illegible]居輒	k'ɪɛp 㾊去涉	gɪɛp 极其輒		t ɕ ɪɛp 讋之涉	t ɕ 'ɪɛp* 謵叱涉
							tsɪɛp 接紫葉	ts'ɪɛp 妾七輒

dz\dʒ\dʑ 從\崇\禪	s\ʃ\ɕ 心\山\書	z\ʒ\ʑ 邪\俟\船	x 曉	ɣ 匣	ʔ 影	j 喻	l 來	ȵʑ 日	反切 下字
dʑɪɛm 探視詹	ɕɪɛm 苫失廉			ɣɪɛm 炎于廉	ʔɪɛm 淹英廉		lɪɛm 廉力鹽	ȵʑɪɛm 髯汝鹽	淹廉 詹鹽
dzɪɛm* 潛昨鹽	sɪɛm 銛息廉	zɪɛm 燅徐廉			ʔiɛm 厭於鹽	jɪɛm 鹽余廉			
	ɕɪɛm 陝失冉		xɪɛm 險虛檢		ʔɪɛm 奄應儉		jɪɛm 斂力冉	ȵʑɪɛm 冉而琰	儼檢 險斂 琰冉 漸染儉
dzɪɛm 漸自染					ʔiɛm 黶於琰	jɪɛm 琰以冉			
dʑɪɛm 贍市豔	ɕɪɛm 閃式贍				ʔɪɛm 㤿於驗		lɪɛm 殮力驗	ȵʑɪɛm 染而贍	窆 厭 豔 贍 驗
dzɪɛm 潛疾豔					ʔiɛm 厭於豔	jɪɛm 豔以贍			
	ʃɪɛp 萐山輒								
dʑɪɛp 涉時攝	ɕɪɛp 攝書涉			ɣɪɛp 曄筠輒	ʔɪɛp [illegible]於輒		lɪɛp 獵良涉	ȵʑɪɛp 讘而涉	輒 涉 攝 葉
dzɪɛp 捷疾葉					ʔiɛm 厭於葉	jɪɛp 葉与涉			

《切韻》聲韻及四聲音值總表附註

通攝

一東開——忡，《王二》、《全王》作敕中反，韻圖置於徹紐下，
但《切二》作初中反，今從《切二》。

一送開——鳳，三等字，切上字用一等“貢”，是例外反切。當以上字“馮”定其等。

𪇶，《全王》無此字，據《王二》補入。

一屋開——殼，《切三》、《王二》作㲄，龍宇純以爲殼㲄不同
字，據《廣韻》而改正。

驧，《全王》作“𩦺”，正體或體同字；今從《廣韻》、《集韻》正字作驧。

三鍾合——恭，《切二》駒東反，誤。當從《王二》、《全王》作駒冬。冬爲一等字，依例以上字“駒”定三等。

恭，駒冬反；蜙，先恭反；樅，七恭反，本入“冬”韻三等。然“鍾”韻無“見”“清”“心”母字，“冬”三與“鍾”韻無對立字，可視爲一類。《廣韻》恭字上注云：“九容切，陸以恭蜙樅入‘冬’韻，非也”。今從《廣韻》。

冬上合——湩、鴆應爲“冬”上聲字，《全王》湩字注云：“都隴反、濁多，此是‘冬’字之上聲，陸云無上聲，何失甚”。龍宇純云：“都隴反者，借三等‘隴’爲上字，與冢音知壠反音異。

止攝

四紙開——䑛，《切三》倉氏反，誤。據各本改作食氏反。

五支合——䮰，《切三》、《切二》子垂反，又子累反。《廣韻》子垂切，又之壘。《韻鏡》、《七音略》字並見照母三等。龍宇純疑此字本讀照三，甚是。

爲，合口字，薳支反。支，開口，以上字薳定合口。

四紙合——觜，《切三》作𧢳，《全王》作𧣈，龍宇純據《說文》改正。

五寘合——僞，危賜反，賜開口字，以上字危定合口。

五旨開——𪘲，《切三》、《王二》、《全王》誤作𪘂。龍宇純據《王一》、《廣韻》改作𪘲。

五旨合——軌，本作軏。《全王》注文云：“非從几”，故據改。

䠥，《全王》誤作䠓，今據《王二》、P2011改正。

六至合——敾，《全王》作楚利反，誤。今依《王一》作楚類反。
位，洧冀反，以上字定合口。

六止開——剢，《王一》作刺；《切三》、《王二》作剌，均誤。
龍宇純據《廣韻》、《集韻》改正。

七至開——憙，《全王》作憙，誤。今據《王一》改正。

八未合——䨚，《全王》紐首為"佛"，《王一》紐首為"䨚"，
當從《廣韻》改作䨚。

遇　攝

九御開　——女，《全王》娘舉反，用上聲"語"韻字作切下字，
誤。應從《王二》作"據"。

九麌合　——撫，《切三》作字武反，《全王》、《王一》"字"
作"孚"，《王二》作"敷"。"孚"是也。
麌，《切三》作虞巨反，隸"語"韻，誤。今從《王一》、
《王二》、《全王》改作虞矩反。

十遇合　——驅，《全王》主遇反，《王二》同。主遇與"註"字
中句反同音，可見"主"字誤，龍宇純據《唐韻》改作
匡遇反，是也。
菆，《全王》作蔟，誤也。今從《王一》、《唐韻》、
《廣韻》作菆。

蟹　攝

十二蟹開——蟹，《切三》作鰇買反。"鰇"屬山紐。《全王》作鞵
買反，"鞵"屬匣紐。今觀《韻鏡》、《七音略》，蟹
在匣母下，似《全王》切語較對。

十二泰合——會，黃帶反。帶，開口字，當以上字定合。

十五卦合——⿸广𠂢，諸本作"庍"。周祖謨云："此字於形聲義均無可說，《集韻》有⿸广𠂢字，注卜卦切，舍別也，即此字。"甚是。又《全王》、《王一》、《廣韻》皆有方賣切語之"廦"小韻。《韻鏡》、《七音略》置廦字於開口圖，⿸广𠂢於合口圖。但"賣""卦"實同組，龍宇純云："方賣反，與下文庍字方卦反同音。"今去"廦"小韻，而存"⿸广𠂢"小韻。

十五海開——茝，昌待反。"昌"爲三等切上字，借一等"待"爲切下字。茝，仍爲三等字。

俖，普乃反，與匹愷反之"啡"字對立。俖，應爲三等字，借一等字作切下字。

十三齊開——媲，P3696疋諸反。"諸"字誤，當從各本作"詣"。

麗，《全王》作魚帝反。"魚"字誤，當從《王一》、《王二》作"魯"。

十三駭開——駭，《韻輯》、《彙編》的《切三》作諧揩反。揩，誤。《新篇》的《切三》作揩。當從《全王》作楷。

十四祭開——跇，《全王》寫作跩，誤。今從《王二》、《唐韻》、《廣韻》改正。

十四祭合——綴，《全王》陟制反。制，誤。當從《王一》、《王二》作"衛"。

[illegible]，諸本寫作"[illegible]"。今從《集韻》改作[illegible]。

衛，《全王》爲翽反。翽字在"泰"韻，誤。《全一》作看劌反。"看"是"爲"字之訛。

芮，P3693而說反。"說"當是"銳"之訛，從諸本改正。

十七夬合——啐，《七音略》、《韻鏡》置於開口圖照二格內，與“嘬”（嘬）字對立。然啐的切下字“快”，是合口字，且上字“倉”屬清紐，不能佔初紐之位。本表放在四等格內，以示嘬、啐之聲母不同。

臻　攝

二六恨開——饐，《全王》寫作饐，《王一》作饐，均誤。今據《廣韻》改正。

十六軫合——麇，《王一》、《王二》、《全王》皆作“麋”。《廣韻》作“麇”。周祖謨引《左傳》謂是“麇”之誤。龍宇純以為《左傳》正字應作“麇”，俗作“麇”。甚是。

稚，《全王》作“稚”，誤。今從《王一》改正。

十沒合——柭，《全王》作“柭”，誤也。今據《王一》、《王二》改正。

猝，P3694 昨沒反。“昨”字誤，當從《切三》作“麁”。

六物合——孓，《全王》作引，誤。龍宇純據《說文》改正。

山　攝

三十霰開——蒨，《全王》舍見反，誤。當從《全一》作倉見反。

十四屑開——姪，《切三》徒昊反。“昊”在“職”韻，誤。從諸本改正。

截，《切三》作結反。“作”當為“昨”之訛。

十二黠合——黜，《切三》女滑反。“女”乃“五”之訛。

二三產開——齦，《全王》作“艮”，誤。P2014 作“狠”。“狠”當為“齦”之或體。

三一線開——變、卞，《韻鏡》在合口圖。《七音略》"變"在合口而"卞"在開口。"變"和"卞"無開合之對立，置於合口或開口問題不大，爲使圖表整齊，兩字同放在開口。

衍，《王二》無此字，《全王》餘見反。"見"在"霰"韻，誤。今據《唐韻》改正。

三一線合——䢀，《全王》、《廣韻》寫作"䢀"。周祖謨據《萬象名義玉篇》、《集韻》改。

效　攝

三十皓開——䪹，《王一》作"𩑬"。《全王》作"䪹"。《廣韻》、《集韻》作"䪹"。龍宇純說："此字疑當從午聲。"今依《廣韻》、《集韻》。

二九巧開——卯，《全王》以"昴"爲本紐第一字，P2011第一字爲"卯"，"昴"爲第二字，《切三》亦同。今從P2011和《切三》。

三五號開——腦，《全王》作"腦"，《王一》作"腦"，即"腦"俗字。

三四效開——罩，《王二》都孝反，《全王》丁教反，《王一》如教反。"如"當爲"知"字之訛。今從《王一》，但改"如"爲"知"。

三二嘯開——窅，《全王》作"窅"，誤。龍宇純據《說文》改作"窅"，"窅"又見於《廣韻》。今從之。

二八小開——蹻，《切三》在小反。"在"字誤，當從《全王》、《王一》作"巨"。

勦，《全王》作“勦”，誤，今依《王一》、《廣韻》。

果　攝

三三歌開──醝，《切三》作何反。“作”，“精”紐，誤。《王一》、《王二》、《全王》“昨何反”。“昨”，“從”紐，當從之。

伽，《切三》無反語，取“噱”之平聲。“噱”，其虐反。“其”，群紐。《王一》去迦反，皆不合，當從《全王》求迦反。

虵，夷柯反。借用一等下字作切。

三一哿開──闁，《切三》、《王一》、《全王》作“閜”。《廣韻》、《集韻》作闁，與《說文》合，當從之。

三八箇開──拸，《全王》作“栘”，誤。今從《王一》。又《全王》拸字的切語爲別邏反，“別”字誤，當從《王一》、《廣韻》作“吐”。

三三歌合──𠱖，《王二》丁戈反。“丁”當是“于”。《全王》于戈反是也。又“𠱖”爲三等字，借一等戈作切下字。

鞾，《切三》無反語。《王一》、《全王》火戈反，借一等戈作三等切下字。

三一哿合──過，《全王》作“䫈”。《王一》、《廣韻》、《集韻》並作“過”，與《方言》合，今從之。又“過”三等字，借一等“果”作切下字。

三八箇合──挫，《全王》切語殘，唐蘭擬作側臥，與《王一》、《王二》同。然S6176切上字爲“則”，《唐韻》、《廣韻》亦同。案“側”爲莊紐字，屬二等；“則”爲精紐字，一等。當從 S6176 。

涴，《全王》作“涴”。《王一》、《王二》、《唐韻》、《廣韻》並作涴，當從之。

假　攝

三二馬開——啞，《彙編》的《切三》上字作“與”；《韻輯》的《切三》作“与”皆誤。今從《新篇》、《集存》的《切三》作“烏”。

三七禡開——蝑，S6176 田夜反。“田”，“思”字之訛。

三二馬合——葰，三等只此字，故借二等“寡”爲切下字。

宕　攝

三五養開——磢，P4917 的《韻輯》本作則兩反，“則”，精紐，誤，當改作“測”。

賞，《切三》上字作“諸”，屬章紐，誤。應從《全王》、《王二》作“識”。

四十漾開——防，《全王》扶浪反。“浪”，“宕”韻字，今據《唐韻》改爲“扶況”反。

軳，《全王》作“軳”，誤。今據《王二》、《唐韻》、《廣韻》改正。

二七藥開——皀，《全王》在“皀”下加兩“大”字，誤。今從《王一》。

四一宕合——曠，《全王》苦浪反，“浪”開口字，應從《王二》作苦謗。

潢，《全王》胡浪反，應從《唐韻》、《廣韻》下字作“曠”。

汪，烏光反。《全王》無“光”字，誤奪。《王二》“廣”姑曠反下有“光”字。

曾　攝

五十登開——楞，《切三》作“楞”；《全王》、P2011作“棱”，均誤。《廣韻》作“楞”，是也。

四九蒸開——硱，《全王》字作“硱”，今從《王一》、《王二》。

蒸，《切三》作語膺反。“語”當是“諸”字之訛。

四七拯開——拯，無反語，取“蒸”之上聲。

五二證開——凴，《全王》火孕反，誤。當從《王一》作皮孕反。

梗　攝

三九庚開——生，所京反。“生”二等字，“京”三等，以上字所定其等也。

三七梗開——蛃，《全王》作“鮩”，《廣韻》同。《集韻》作“蛃”，與《廣雅·釋蟲》合，今從之。

省，所景反。以二等“所”定等。

盯，三等字，借二等梗作切下字。

四二敬開——掌，《全王》誤入“諍”韻，今從《王一》。

鞕，《全王》五勁反，不入此韻，當從《王一》、《王二》。

迎，《全王》魚更反。“更”二等，“迎”三等，等不合，今從《王一》作魚敬反。

瀩，二等字，切下字“敬”三等字，當以上字“楚”定其等也。

十九陌開——柵，測戟反；索，所戟反，均以上字定其等也。

欂，《切三》、《王二》無此字，《全王》見"麥"韻皮碧反。《唐韻》、《廣韻》並見本韻弼戟反（切）。"欂"三等字，與"麥"韻相承之平上去各韻均無二等字，"麥"韻亦不應有三等欂字。李榮《切韻音系》移入本韻，甚是。

四一淸開——辟，《韻鏡》放在開口圖，然切上字用合口營，此例外反切也。當以上字"息"定其開口。

十七昔開——碧，《全王》陂隔反，入"麥"韻。《切三》、《唐韻》、《廣韻》、《集韻》於本韻韻末獨出"碧"字。《切三》反語殘，《唐韻》音"方彳"，《廣韻》音"彼役"，《集韻》音"兵彳"。今從《唐韻》。

四四勁合——敻，合口只此一字，借開口"政"作切下字，而以切上字"虛"定合口。

十九陌合——嚄、韄，三等字。而借二等"陌"、"百"作切下字。

十七昔合——役，營隻反，以上字"營"定合口。

四三諍開——褸，《全王》字作"嫈"，註云："一諍反，裙𧝓，亦作'褸'。"《王二》、《唐韻》只一"褸"字。龍宇純據《說文》："嫈"，小心態也；《玉篇》："褸"，裙𧝓也。均不云"嫈"與"褸"同，因疑《全王》本此小韻有譌奪。今從《王二》、《唐韻》錄"褸"字。

四二靑合——熒，胡丁反。丁，開口字，以上字"胡"定合口。

四十迥合——泂，古鼎反；迥，戶鼎反。鼎，開口字，兩小韻皆以上字定其合口。

四五徑合——熒，胡定反。定，開口字，以上字"胡"定合口。

流　攝

四四侯開——擩，《切三》、《王二》女溝反，娘母。《王一》、《全王》汝溝反，日母。今從《切三》。

剹，各本作徂鉤反。《切三》俎鉤反，讀在莊母，誤。

四五幽開——惆，《切三》、《王一》、《王二》均作去愁反，入“尤”韻，與“丘”小韻去求反同音。董同龢以爲“惆”字當移入“幽”韻溪母（見《廣韻重紐試釋》）。今從董氏。

四三黝開——愀，P3693、《王一》慈糾反。慈讀從紐。《切三》、《王二》、《全王》茲糾反。茲，讀精紐。今從《切三》。

四七候開——耨，《全王》如豆反。“如”，誤。當從《王一》、《王二》作奴豆反。

深　攝

四四寑開——痒，《全王》字作庠，誤。今從《王一》。

四九沁開——揕，《全王》字作“椹”，誤。今從《王一》、《王二》。

甚，《全王》無此字，據《王一》錄。

四八添開——⿱髟占，《切三》、《全王》丁廉反。“廉”讀入“鹽”韻，誤。當從《王二》作丁兼反。

鬑，《切韻》勒簾反。簾，讀入“鹽”韻，誤。當從《王二》、《全王》勒兼反。

謙，《切三》古兼反。《王二》、《全王》苦兼反。古，“見”紐，誤。“苦”，溪紐是也。

四六忝開——縑，《切三》古簟反。古，當是苦之訛。

三八勘開——⿰甚尤，諸本字作“⿰馬冗”。不知何出？龍宇純疑即“⿰甚尤”。

五一㮇開——酓，《全王》字作“畬”。今從《王二》。

三九闞開——賧，《王一》、《全王》字作"睒"，誤。今從《王二》。

二一盍開——榼，《切三》若盍反。"若"，當爲"苦"字之訛。

二三狎開——甲，諸本作古狎反。獨《切三》作去狎反。"去"，疑"吉"字之誤。

咸　攝

四七鹽開——潛，《切三》作鹽反。"作"當爲"昨"之訛。

四五琰開——預，《切三》、《王一》、《全王》字作"頨"。段玉裁云："當作預。"龍宇純謂此即"寑"韻顧字。

二四葉開——謵，《切三》七涉反。七，當爲叱字之訛。

參考文獻

<甲> 書籍部分

丁邦新《董同龢先生語言論文選集》，食貨出版社，民國七十一年（1982）九月，一版。

丁度等《集韻》（《四部集要經部》）上、下，新興書局，民國四十八年（1959）十月，初版。

王 力《漢語音韻學》，中華書局，1981年6月，3版。

《漢語音韻》，文昌書局，年分不詳。

《漢語史稿》上、中、下，科學出版社，1938年8月，第2版。

《龍蟲並雕齋文集》一、二、三冊，中華書局，一、二冊1980年1月，1版；三冊1982年10月，1版。

《王力論學新著》，廣西人民出版社，1983年8月，1版。

王仁昫《唐寫本王仁昫刊謬補缺切韻》，廣文書局，民國五十三年（1964）三月，初版。

方孝岳《漢語語音史概要》商務印書館香港分館，1979年11月，初版。

王國維《觀堂集林》，中華書局香港分局，1973年2月版。

司馬光《切韻指掌圖》（附檢例），廣文書局，民國六十三年（1974）十二月，再版。

北大語言學教研室《漢語方言詞匯》，文字改革出版社，1964年5月，1版。

江 永《音學辨微》，廣文書局，民國五十五年（1966）一月，初版。
李方桂《上古音研究》，商務印書館，１９８０年7月，1版。
李新魁《韵鏡校證》，中華書局，１９８２年4月，1版。
《漢語等韻學》，中華書局，１９８３年１１月，1版。
李　榮《切韻音系》，鼎文書局，民國六十一年（１９７２）九月，初版。
《音韻存稿》，商務印書館，１９８２年4月，1版。
何文華《廣韻聲類韻部與音值之研究》，珠海書院中國文學歷史研究所，民國七十一年（１９８２）一月，初版。
沈兼士《廣韻聲系》，大化書局，民國六十六年（１９７７）十月景印，初版。
岑麒祥《方言調查方法》，文字改革出版社，１９５６年１１月，２次印。
《普通語言學》，科學出版社，１９５７年3月，1版。
《歷史比較語言學講話》，湖北人民出版社，１９８１年，1版。
《語言學學習與研究》，中州書畫社，１９８３年8月，1版。
林　尹《新校正切宋本廣韻》，黎明文化事業公司，民六十五年（１９７６）九月二十日，初版。
《中國聲韻學通論》，世界書局，民國六十六年（１９７７）十月，七版。
林蓮僊《潮讀反切音標兩用正音表》（香港中文大學中文系《叢刊》），１９７７年8月，1版。

《藁浦論文稿》，昭明出版社，１９８４年4月，初版。
周法高《中國語文論叢》，正中書局，民國五十九年（１９７０）五月，三版。
《中國語言學論文集》，聯經出版事業公司，民國六十四年（１９７５）九月，初版。
《中國音韻學論文集》，中文大學出版社，１９８４年1月，初版。
周祖謨《廣韻校勘記》，世界書局，民國五十六年（１９６７）九月，再版。
《問學集》上下，中華書局，１９８１年3月，二版。
《唐五代韻書集存》上下，中華書局，１９８３年7月，1版。
邵榮芬《切韻研究》，中國社會科學出版社，１９８２年3月，1版。
姜亮夫《瀛涯敦煌韻輯》，鼎文書局，民國六十一年（１９７２）九月，初版。
《中國聲韻學》，文史哲出版社，民國六十三年（１９７４）四月，再版。
封　演《封氏聞見記》（趙貞信注本），中華書局，１９５８年3月，1版。
高本漢《中國音韻學研究》（趙元任、李方桂譯本），臺灣商務印書館，民國六十四年（１９７５）二月，四版。
《中國聲韻學大綱》（張洪年譯本），中華叢書編審委員會出版，民國六十一年（１９７２）二月印版。

高名凱、石安石《語言學概論》，中華書局１９８３年6月，1版。
唐作藩《漢語音韻學常識》，中華書局，１９７６年5月重印。
袁家驊等《漢語方言學概要》，文字改革出版社，１９６０年2月，1版。
莫友芝《韻學源流》（羅常培校點本）香港太平書局，１９７４年2月重印。
張世祿《音韻學》，商務印書館（《百科小叢書本》）民國二十三年（１８３４）四月，三版。
《中國音韻學史》上下，臺灣商務印書館，民國五十七年（１９６８）二月，二版。
《語言學原理》，臺灣商務印書館（人人文庫），民國六十五年（１９７６）十二月，二版。
《廣韻研究》，香港太平書局，１９７７年2月重印。
《中國聲韻學概要》，臺灣商務印書館（人人文庫），民國六十七年（１９７８）一月，四版。
《張世祿語言學論文集》，學林出版社，１９８４年１０月，1版。
張正體、張婷婷《中華韻學》，臺灣商務印書館，民國六十七年（１９７８）十二月，初版。
陸志韋《漢語音韻學論》集第一、二集，崇文書店，１９７１年5月版。
《古音說略》，臺灣學生書局，民國六十八年（１９７９）九月，再版。
章炳麟《國故論衡》，廣文書局，民國六十六年（１９７７）七月，五版。
陳彭年等《鉅宋廣韻》，上海古籍出版社，1983年4月，1版。
陳新雄《六十年來之聲韻學》，文史哲出版社，民國六十二年（1973）八月，初版。
《等韻述要》，藝文印書館，民國六十三年（1974）七月，初版。
《重校增訂音略證補》，文史哲出版社，民國七十年（1981）九月，四版。
《鍥不舍齋論學集》，臺灣學生書局，民國七十三年（1984）八月，初版。
許　愼《說文解字》（段注本），上海古籍出版社，1984年11月，第3次印版。
陳　澧《切韻考》，臺灣學生書局，民國六十六年（1977）二月，四版。
黃　侃《黃侃論學雜著》，上海古籍出版社，1980年4月，1版。
黃侃、黃焯《廣韻校錄》，上海古籍出版社，1985年2月，1版。
黃笑山《切韻和中唐五代音位系統》，文津出版社，民國八十四年（1995）七月，初版。
葉光球《聲韻學大綱》，正中書局，民國五十四年（1965）十月，二版。
董同龢《語言學大綱》，中華叢書編審委員會，民國五十三年（1964）五月印版。

《中國語音史》，華岡出版部，民國六十二年（１９７３）九月，重版。
《漢語音韻學》，文史哲出版社，１９８０年9月，5版。
詹伯慧《現代漢語方言》，湖北人民出版社，１９８１年3月，1版。
趙元任《語言問題》，商務印書館，１９８０年6月，1版。
趙憩之《等韻源流》，文史哲出版社，民國六十三年（１９７４）二月，再版。
潘重規《瀛涯敦煌韻輯新編》，新亞研究所，民國六十一年（１９７２）十一月，初版。
潘重規、陳紹棠《中國聲韻學》，東大圖書公司，民國六十七年（１９７８）八月，初版。
劉　復《十韻彙編》，學生書局，民國六十二年（１９７３），三版。
蔣一安《蔣本唐韻刊謬補闕》，廣文書局。
錢大昕《十駕齋養新錄》上下，世界書局，民國六十六年（１９７７）十二月，再版。
錢玄同《文字學音篇》，臺灣學生書局，民國六十七年（１９７８）九月，五版。
龍宇純《唐寫全本王仁昫刊謬補缺切韻校箋》，香港中文大學，１９６８年9月，初版。
鍾露昇《國語語音學》，語文出版社，民國五十六年（１９６７）九月，再版。
戴　震《聲韻考》，廣文書局，民國五十五年（１９６６）一月，初版。

《戴震文集》，中華書局香港分局，１９７４年1月港版。

顏之推《顏氏家訓》（王利器《集解》本），上海古籍出版社，１９８０年7月，1版。

藝文印書館《等韻五種》，民國六十三年（１９７４）九月，初版。

羅常培《唐五代西北方音》（國立中央研究院歷史語言研究所單刊甲種之十二），民國二十二年（１９３３），上海。

《恬庵語文論著甲集》，香港書店，民國六十二年（１９７３）一月，初版。

《漢語音韻學導論》，香港太平書局，１９７７年4月，重印。

羅常培、王均《普通語音學綱要》，商務印書館，１９８１年１２月，1版。

顧野王《玉篇》（《四部備要》），臺灣中華書局，民國六十六年（１９７７），初版。

＜乙＞　論文部分

丁　山《切韻非吳音說》，載中山大學《語言歷史研究所周刊》三集二十五、二十六、二十七期合刊（１９２８），頁６８～１４０。

王靜如《論開合口》，載《燕京學報》二十九期（１９４１年），頁１４３～１９２，龍門書店影印。

《論古漢語之顎介音》，燕京學報三十五期（１９４８年１２月），頁５１～９４，龍門書店影印。

王　顯《切韻的命名和切韻的性質》，載《中國語文》，1961年4月6號（總103期），頁16～27。
《再談切韻音系的性質》，載《中國語文》，1962年12月號（總121期），頁540～547。
白滌洲《廣韻聲紐韻類之統計》，北平女子師範大學《學術季刊》二卷一期（1931年），頁1～28。
何九盈《切韻音系的性質及其他》（與王顯、邵榮芬商榷）載《中國語文》，1961年9月號（總108期），頁10～18。
杜其容《釋內外轉名義》，中央研究院《歷史語言研究所集刊》（1968年）四十本，頁281～294。
《陳澧反切說申論》，載《書目季刊》八卷四期，頁17～21。
邵榮芬《切韻音系的性質和它在漢語語音史上的地位》，載《中國語文》，1961年4月號（總103期），頁26～32。
李如龍《自閩方言證四等韻無 i 說》，載《音韻學研究》第一輯，頁414～422，中華書局，1984年3月。
施文濤《關于漢語音韻研究的幾個問題》（與陸志韋先生商榷），載《中國語文》，1964年第1期，頁1～18。
施向東《玄奘譯著中的梵漢對音和唐初中原方音》，載《語言研究》（總第四期）1983年第1期，中華工學院出版社，頁27～48。
高本漢《答馬斯貝囉 Maspero 論切韻之音》，北京大學《國學季刊》

一卷三期（１９２３年），頁４７５～４９８。

《中國古音（切韻）之系統及其演變》（附國音古音比較）中央研究院《歷史語言研究所集刊》（１９３０年）第二本二分，頁１８５～２０４。

馬學季、羅季光《切韻純四等韻主要元音》，載《中國語文》，１９６２年１２月號（總１２１期），頁５３３～５３９。

陳　垣《切韻與鮮卑》，載《陳垣學術論文集》第二集，中華書局１９８２年，1版。

張　煊《求進步齋音論》，北京《國故月刊》第一期“專箸”，北京大學出版部，民國八年（１９１９）3月20日。

喻世長《切韻聲母擬音的新嘗試》，載《羅常培紀念論文集》，頁２４５～２７０，商務印書館，１９８４年3月，1版。

尉遲治平《周隋長安方音初探》，載《語言研究》（總三期），１９８２年第2期，頁１８～３３，華中工業學院出版社。

黃淬伯《討論切韻的韻部與聲紐》，載中山大學《語言歷史研究所週刊》第六集十一期（１９２８年），頁1～１２。

《慧琳一切經音義反切聲類考》，載中央研究院《歷史語言研究所集刊》（１９３０年）第一本二分，頁１６５～１８２。

《關于切韻音系基礎的問題》，載《中國語文》１９６２年2月號（總１１２期）頁８５～９０。

曾運乾《切韻五聲五十一紐考》，轉載陳新雄、于大成《聲韻學論文集》第一冊，木鐸出版社，頁１０７～１１６。

董同龢《上古音韻表稿》，載中央研究院《歷史語言研究所集刊》

（１９４８年）第十八本，頁1～２４９。

葛毅卿《喻三入匣再證》，載中央研究院《歷史語言研究所集刊》（１９３９年）第八本一分，頁９１。

趙少咸《切韻序注釋》，載《語言文字研究專輯》上，頁３０～４０，上海古籍出版社，１９８２年2月，1版。

劉文錦、羅常培《廣韻聲紐的討論》，載中山大學《語言歷史研究所週刊》第二集十四期（１９２８年），頁５２～５７

潘悟雲、朱曉農《漢越語和切韻唇音字》，載《語言文字研究專輯》上，頁３２３～３５６，上海古籍出版社，１９８２年2月，1版。

鋼和泰（A. von Stael-Hostein）《音譯梵書與中國中古音》，北京大學《國學季刊》一卷一期，頁４７～５６。

龍宇純《例外反切的研究》，載中央研究院《歷史語言研究所集刊》（１９６５年）第三十六本，頁３３１～３７３。

羅莘田《評高克的古代漢語發音學》，嶺南學報第七卷第一期，頁１５～３５。

羅常培《切韻序校釋》，載中山大學《語言歷史研究所週刊》第三集２５、２６、２７期合刊（１９２８年），頁6～２５。

《切韻探賾》，載中山大學《語言歷史研究所週刊》第三集２５、２６、２７期合刊（１９２８年），頁２６～５６。

《切韻魚虞之音值及其所據方音考》，載中央研究院《歷史語言研究所集刊》（１９３１年）第二本三分，頁３５８～３８５。

《知徹澄娘音值考》，載中央研究院《歷史語言研究所集刊》（1931年）第三本一分，頁121～157。

《釋內外轉》，載中央研究院《歷史語言研究所集刊》（1933年）第四本二分，頁209～226。

《通志七音略研究》，載中央研究院《歷史語言研究所集刊》（1935年）第五本四分，頁521～535。

《經典釋文和原本玉篇反切中的匣于兩紐》，載中央研究院《歷史語言研究所集刊》（1939年）第八本，頁85～90。